8-19

14.80

Taschenbücher zur Musikwissenschaft

Herausgegeben von Richard Schaal

29

Heinrichshofen's Verlag

Wilhelmshaven

FRANZ-PETER KOTHES

Die theatralische Revue in Berlin und Wien

1900 – 1938

Typen, Inhalte, Funktionen

Heinrichshofen's Verlag
Wilhelmshaven

CIP-Kurztitelaufnahme der Deutschen Bibliothek

Kothes, Franz-Peter
Die theatralische Revue in Berlin und Wien:
1900–1938; Typen, Inhalte, Funktionen. –
1. Aufl. – Wilhelmshaven: Heinrichshofen, 1977
   (Taschenbücher zur Musikwissenschaft; 29)
   ISBN 3-7959-0140-5

Inhaltsverzeichnis

EINLEITUNG

1. Die Revue als Forschungsobjekt

Die Wissenschaft, insbesondere die des Theaters, hat sich bisher weitgehend der Beschäftigung mit den Phänomenen des Unterhaltungstheaters entzogen.[1] Lediglich das amerikanische Musical[2] bildet in einzelnen Fällen neben der Operette und dem Zirkus[3] das Thema von Spezialuntersuchungen. Dissertationen über einzelne Bühnen streifen die deutschsprachige Revue in chronologischem Zusammenhang.[4]   Zum Thema Revue liegt — wenigstens für den deutschen Sprachraum — keine Gesamt- oder Einzeluntersuchung vor, sieht man von einem summarischen Überblick in der Enciclopedia dello Spettacolo[5] ab.

1. Auf die noch ausstehende Grundlagenforschung zu Themen wie Unterhaltung und Vergnügen kann hier nur hingewiesen werden.
2. Vgl. Ursula Gatzke, Das amerikan. Musical, München, phil. Diss. 1969; Klaus Kemetmüller, Das amerikan. Musical als Unterhaltungsphänomen, Wien, phil. Diss. (masch.) 1970.
3. Vgl. zur Operette: Eugen Brixel, Die Ära Wilh. Karczag im Th. a. d. Wien, Wien, phil. Diss. (masch.) 1966; zum Zirkus: Helmuth Matiasek, Die Komik der Clowns, Wien, phil. Diss. (masch.) 1957.
4. Vgl. Gotthard Böhm, Gesch. d. Neuen Wiener Bühne, Wien, phil. Diss. (masch.) 1965; Ruth Bauer, Gesch. d. Neuen Wiener Stadttheaters, Wien, phil. Diss. (masch.) 1970.
5. Bd. 8, Rom 1961, Sp. 1029f.

Die ausländischen Publikationen über die Revue erschöpfen sich in der Mehrzahl in historischen Beschreibungen aus der retrospektiven Sicht ehemals Beteiligter.[6] Die in deutscher Sprache erschienenen, populär gehaltenen kulturgeschichtlichen Werke über andere Formen musiktheatralischer Unterhaltung wie Operette und Kabarett streifen die Revue eher pauschal als Randphänomen. Dies gilt vor allem für die Ausstattungsrevue, die lediglich Otto Schneidereit im Rahmen seiner Berliner Operettengeschichte[7] historisch deskriptiv berücksichtigt. Die meisten Arbeiten über das deutschsprachige Kabarett behandeln die literarisch anspruchsvollere Kabarettrevue.[8]

Die vorliegende Arbeit beabsichtigt keine chronologische Rekonstruktion der verschiedenen Formen der Revue mittels einer unkritischen Materialsammlung und deren beschreibender Auswertung. Auf eine isolierte historische Betrachtung des Genres wurde ebenso verzichtet wie auf innermusikalische Analysen. Auf der Grundlage formaltypologischer und inhaltlicher Untersuchungen werden die kultursoziologischen Verflechtungen eines Phänomens erschlossen, das bestimmte soziale und ökonomische Bedingungen kannte.

"Es ist ganz klar, daß jedes Kunstwerk, als Lebensäußerung von Menschen, die in zeitlich und räumlich determinierten Verhältnissen leben, ein 'Ausdruck' seiner Zeit ist, ob es nun aktuelle oder äußerlich fernliegende Mittel verwendet. Das heißt natürlich nicht, daß es immer bewußt zum Zeitspiegel gemacht wird, aber es ist

6. Vgl. im Literaturverz.: Jacques-Charles, Damase, Falconi/ Frattini, Ramo.
7. Berlin wie es weint und lacht, Berlin 1968.
8. Vgl. im Literaturverz.: Budzinski, Greul, Hösch, Ihering.

*gleichgeordnet allen übrigen Erscheinungen seiner Zeit,
einfach durch die Tatsache seiner Entstehung zu einer
bestimmten Zeit!"*[9]

Kreneks Äußerung über den Zeitgeist, in ihrem Kontext eher polemisch gemeint, darf dennoch auf das Phänomen Revue bezogen werden, ebenso wie Oppens' zusammenfassender Satz über die Adornosche Musiksoziologie: *"Musik* [zu ergänzen Theater und hier Revue; der Verf.] *wird nicht aus sich selbst, sondern in ihrer Beziehung zur Gesellschaft verstanden, aber diese Beziehung vermittelt . . . sie durch sich selbst."*[10]

Den oben genannten Auffassungen versucht die dieser Publikation vorausgegangene Wiener Dissertation des Verfassers gerecht zu werden, indem zum Großteil erstmalig erfaßte Primärquellen ausgewertet werden. Die vorliegende Studie verfolgt bei einer thematischen Auswahl das Ziel, Zusammenhänge aufzuzeigen zwischen einer bestimmten Theatergattung und der ihr zugehörigen Gesellschaft. Indem der Wandel der Revue vom bürgerlichen Unterhaltungstheater mit aktuellem Bezug zur Zerstreuungskonfektion dargestellt wird, zeigt sich die soziale Funktion der einzelnen Revueformen am Beispiel der beiden Hauptstädte Berlin und Wien von der Jahrhundertwende bis zur Machtergreifung der Nationalsozialisten. Zugleich soll damit ein Beitrag zu einer Bestandsaufnahme des Unterhaltungstheaters zu Ende des 19. und Beginn des 20. Jahrhunderts geleistet werden.

9. Ernst Krenek, Der Zeitgeist. In: Zur Sprache gebracht, München 1958, S. 24.
10. Kurt Oppens, Zu den musikal. Schriften Th. W. Adornos. In: Über Th. W. Adorno, Ffm. 1968, S. 7.

2. Zur Definition, Terminologie und Dramaturgie

Die nicht nur in der Theaterpraxis zu beobachtende Unsicherheit bei der Anwendung des Begriffes Revue hat ihre Ursache in der Komplexität möglicher Begriffsinhalte. Deshalb sei ein kurzer etymologischer Rekurs gestattet, um mittels des sprachlichen Ursprungs einen Ausgangspunkt zur Wesensbeschreibung der Revue zu erhalten.

Das deutsche Fremdwort Revue leitet sich ab vom französischen Nomen "la revue" gleich "examen détaillé"[11], substantiviertes Partizip Perfekt von "revoir" gleich wiedersehen, zurücksehen. Es bezeichnet wie dieses: 1. allgemein eine Rundschau, 2. militärisch eine Truppenbesichtigung, 3. theatralisch eine Bühnenschau und 4. im Pressewesen einen Zeitschriftentitel.[12]

Die allgemeine Bedeutung des Wortes Revue im Sinne einer Rundschau, eines Überblicks, weist als theatralischer Terminus auf eine Bühnendarbietung hin, die Ereignisse in dramatischer Form 'Revue' passieren läßt. Von dieser ursprünglichen Bedeutung übernahm die erste Revueform, die französische satirische Jahresre-

11. Etwa: genaue Durchsicht. Grand Larousse encyclopédique, Paris 1964.
12. Diese Bedeutungen verzeichnen u.a.: Meyers Konversationslexikon, Leipzig-Wien [5]1897; Der Große Brockhaus, Leipzig 1933; Der große Duden, Mannheim [2]1965; Der Neue Herder, Freiburg 1968.

vue, ihren Namen als "Revue de Fin d'Année"[13]. Mit der Entwicklung weiterer Formen wurde "Revue" der allgemeine Gattungsterminus.

In diesem Zusammenhang soll auf die Unterscheidung einzelner Termini hingewiesen werden. Verwandte theatralische Gattungen übernahmen die noch darzulegenden allgemeinen dramaturgischen Kriterien der Revueform, so daß man von Sonderformen wie der Ballett-Revue, Kabarett-Revue usw. spricht. Die Suffixposition bezeichnet eine potpourrimäßige Reihung von Einzelszenen aus Exemplaren der verschiedenen Gattungen und nicht eine eigene Revueform. Dagegen kennzeichnet der Gebrauch des Wortes Revue als Präfix, z.B. in Revue-Operette, Revue-Film, eine der Ausstattungsrevue entsprechende Inszenierung der ursprünglichen Theaterform.

Aufgrund des vielschichtigen Ursprungs der Revue ist es schwierig, sie als theatralische Gattung allgemein zu definieren. Aus verschiedenen verwandten Gattungen wie Feerie, Ausstattungsstück, Posse, Cabaret, Music-Hall, Varieté und Operette verbindet die Revue deren Einzelelemente zu einer neuen Form aus Wort, Musik, Gesang und Tanz. Wir unterscheiden dabei zwei historische Hauptformen der Revue:

1. Die satirische, aktuelle Revue als frühe Jahresrevue und spätere Kammer- oder Kabarett-Revue.

2. Die aus der ersteren entwickelte Ausstattungsrevue des französischen Ursprungstypus "à grand spectacle". Beide Typen zeigen sich inhaltlich als historische Konkretisierungen der Doppelbedeutung des Wortes Revue im theatralischen Gebrauch: Eine unterhaltsame

13. Genauer: Jahresschlußrevue.

Rückschau repräsentierte die Jahresrevue mit ihrer Dominanz der satirischen Schlaglichter auf aktuelle Ereignisse. Und rückschauende Unterhaltung bot die Ausstattungsrevue, besonders in ihren sentimentalen, die sogenannte gute alte Zeit unkritisch verherrlichenden Lokalbildern.

Die Dramaturgie beider Formen kennzeichnet:

1. Eine gleichgeordnete Reihung von Szenen (Sketche), Conférencen und Bildern (mit Gesang und Tanz), die

2. entsprechend dem Nummernschema keinen oder nur einen losen Zusammenhang aufweisen in Form einer Rahmenhandlung oder von Conférencier-Figuren.

Die satirische Revue charakterisiert ferner: 1. Aktualitätsbezug, vor allem aus dem politischen Bereich; 2. eine vorwiegend satirisch-kritische Komponente; 3. sekundäre Bedeutung der Ausstattung.

Die Ausstattungsrevue suchte bereits einer ihrer Produzenten satirisch zu definieren. Fritz Grünbaum fragte in Wien: *"Was ist eine Revue?: Revue ist . . ., wenn es keine Handlung gibt . . ., wenn die Ausstattung eine Milliarde kostet . . . Was sollte aber die Revue sein? Eine geistreiche Aneinanderreihung unzusammenhängender, Auge, Ohr und Vernunft befriedigender Szenen, die unseren Alltag verspotten, nebenher pikanten Soubretten, süßen Tänzerinnen, smarten Theater-Don-Juans und schlagkräftigen Komikern Gelegenheit geben, mit Laune, Schneid, Rhyhtmus und schmissigem Unsinn die Trübsal unserer Tage uns aus dem Gehirn zu blasen."*[14]

14. In: Progr. "Die Hölle", Revue "Rund um den Mittelpunkt", Wien 1925, o.S., Thslg. Österr. Nationalbibl. (ÖNB) Wien.

Weniger aphoristisch äußerte sich H. H. Stuckenschmidt, als er 1926 die Formlosigkeit der Revue als Form positiv beurteilte. *"Was* [der Revue; der Verf.] *Einheit und Struktur verleiht, ist der Kontrast, das Gegeneinander und Nebeneinander sensualer Effekte, die Wechselwirkung heterogener Reizeindrücke."*[15]

Als spezifische Wesensmerkmale der Ausstattungsrevue lassen sich nennen:

1. Offene Form als meist zusammenhanglose Folge von Ausstattungsbildern mit:

2. Dominanz des sinnlichen Effektes durch das Primat des Visuellen;

3. Betonung des Tänzerisch-Artistischen;

4. Geringe aktuelle Bezugnahme.

15. Lob der Revue. In: Die Bühne, Jg. 3, H.76, S. 10. Urspr. in: Tanz in dieser Zeit, Musikblätter des Anbruch, hrsg. v. Paul Stefan, Wien 1926.

I.URSPRÜNGE UND ENTWICKLUNG

1. Paris und die internationale Ausformung der Revue

Die theatralische Revue ist ein synthetisches Genre. Wie nahezu alle Theatergattungen vom antiken griechischen Drama bis zur Operette und deren jüngstem Sproß, dem Musical, entwickelte sie sich zu Eigenem aus der Erweiterung einer theatralischen Ausdrucksform durch eine oder mehrere andere: Dialog, Musik, Gesang, Tanz.

Darüberhinaus kennzeichnet die Revue kein linearer Entstehungsprozeß, sondern eine Entwicklung zu einer Zusammenfassung verschiedener Elemente des musikalischen Unterhaltungstheaters. Als internationales Phänomen, hauptsächlich französischer Herkunft, zeigte sie sich unterschiedlichen Integrationsprozessen in den einzelnen Ländern unterworfen.

Wie für das gesamte Theater, so läßt sich auch für die Revue der Mimus als Ursprung anführen. Mimus soll hier weniger auf den elementaren Nachahmungs- und Darstellungstrieb des Menschen hinweisen, sondern er sei konkret auf jene Schauspieler, Tänzer, Gaukler und Akrobaten bezogen, die bereits das vorklassische Griechenland kannte und deren Darbietungen ihre höchste Entfaltung während der römischen Kaiserzeit erfuhren.

Revue war, besonders formal-dramaturgisch, immer dort vorhanden, wo zusammenhanglose szenisch-dramatische Einzelelemente zu einer Aufführung zusammengefaßt wurden, wie etwa bei den Auftritten der Mimen, Spielleute, Troubadours und Jongleure des Mittelalters.

Die politische Satire begründete der antike Spötter Aristophanes in seinen Komödien, während wir den Primat des Visuellen etwa in den römischen Schau-Spielen, den Circenses der Augustus-Ära konstatieren, wie auch später in den Trionfi der Renaissance und den barocken höfischen Festspielen und -aufzügen mit ihrer visuellen Machtdemonstration. Schau und aktuelle Bezugnahme gingen in der Jahresrevue des 19. Jahrhunderts eine Synthese ein, um Anfang des 20. Jahrhunderts in Ausstattungs- und Kabarett-Revue getrennt zu werden.

Dem gallischen Esprit und seiner Vorliebe für die Satire entsprach die lockere Form der aktuellen Zeitrekapitulation, wie sie die Revue leisten konnte, und es nimmt von daher kein Wunder, daß sich in Frankreich und im speziellen in Paris die längste Revuetradition verfolgen läßt. Die französische Farce des ausgehenden Mittelalters, etwa Adam de la Halles "Jeu de la feuillée" (um 1262), kannte den aktuellen satirischen Sketch. Und das Chanson war seit der Renaissance zu einem politischen Instrument geworden. Die eigentliche Revueentwicklung in Frankreich setzte im 18. Jahrhundert mit dem "Théâtre de la Foire" ein, dem Pariser Jahrmarktstheater, das unter den verschiedensten Bezeichnungen aktuell-satirische Elemente der Jahresrevue einführte, etwa in den Parodien und Singspielen von Lesage und Favart.

Die Pariser "Revue de fin d'année", so genannt, weil die Premieren jeweils im Dezember stattfanden, bildet den ältesten und eigenständigsten Revuetypus.[16] Sie umfaßte eine Folge von Einzelszenen ohne Handlungszusammenhang, die auf aktuelle, auch politische Ereignisse der Hauptstadt Bezug nahmen und die durch Tänze und Couplets aufgelockert wurden. Ihre erste Blütezeit erlebte sie unter Louis Philippe (1830–1848). Die Gebrüder Cogniard im "Théâtre de la Porte Saint-Martin" waren ihre bedeutendsten Vertreter.

Nach der 48er Revolution blieb die Gattung der Jahresrevue auch in der Zweiten Republik ein beliebtes Genre. Aus den Mitte des 19. Jahrhunderts populär werdenden Café-chantant und Café-concert, die wiederum als Vorformen des späteren Cabaret[17] anzusehen sind, übernahm die Jahresrevue in der Folge den Solovortrag der Diseuse und des Chansonniers, daneben auch den Typenkomiker. Mit dem "Second Empire", dessen Restaurationsbestrebungen 1851 die Zensur wiedereinsetzen ließen, begann ebenfalls der Wandel der satirischen Revue zum unpolitischen Amüsement. Unter dem Einfluß der zunehmenden Vergnügungssucht der Bourgeoisie der Belle Epoque wurden die Revuen ausstattungsreicher. Der Text verlor an Bedeutung, zugleich betonte man das Tänzerische. Music-Halls und Varietés englischer Provenienz hatten Paris erobert, nun drangen neben Gesang und Tanz auch artistische Einlagen in die Revue ein. Und nicht zuletzt stellte die Operette mit ihren Rollenfächern und Prunkfinali eine Ausgangsbasis dar für die spätere Ausstattungsrevue mit ihrer Vielzahl von Mitwirkenden und ihren aufwendigen Schauelementen.

16. Vgl. Robert Dreyfus, Petite Histoire de la Revue de Fin d'Année, Paris 1909.
17. Die Eröffnung der Pariser "Chat noir" 1881 durch den Maler Rudolphe Salis wird als Geburtstag des Cabaret angesehen.

Dieser Typ "à grand spectacle", angereichert mit Elementen der Ausstattungsfeerie, des Vaudeville, der Burleske und des Cabaret, wurde bereits in den achtziger Jahren des vorigen Jahrhunderts in Paris populär. Als erste ausdrückliche Ausstattungsrevue ist "Place aux jeunes" anzusehen, 1886 in den 1869 gegründeten "Folies-Bergère" aufgeführt.[18] In den "Folies-Bergère" trat Ende der neunziger Jahre auch die erste kleinere Girltruppe in Frankreich auf, die zu Idolen ihrer Generation werdenden Five Sisters Barrison.

Den Revuen der "Folies" folgten bald ähnliche Produktionen im "La Cigale", "Moulin Rouge" (ab 1903) und "Casino de Paris" (ab 1917). In Paris erlebte somit die Ausstattungsrevue eine Blüte bereits vor dem Ersten Weltkrieg, als Stars wie die Mistinguett, Maurice Chevalier, Gaby Deslys und Harry Pilcer ihre Triumphe feierten. In den Jahren nach 1918 begannen die Vormachtstellung der Pariser Revueproduzenten und die Musterfunktion ihrer Revuen auf dem Weltmarkt des musikalischen Unterhaltungstheaters, wobei sich feste Produktionsteams herausbildeten. Diese Produzentenkonstanz, z.B. Jacques-Charles am "Moulin Rouge", führte zu einer vergleichsweise ausgeprägten Typisierung, ein Phänomen, das sich später auch im deutschen Sprachraum beobachten ließ.

Die westlichen Zentren, London und New York, übernahmen ebenso wie die deutschsprachigen Metropolen Pariser Revuevorbilder, sie entwickelten daneben aber auch eigenständige Formen. Charles B. Cochran, die größte Persönlichkeit des englischen Show-Business nach

18. Vgl. Jacques-Charles, a.a.O., S. 94ff.

1918, vervollkommnete zusammen mit Noël Coward die kleinere Revue satirischen Einschlags zur "Intimate Revue" (Kammerrevue).

In den USA hatten angloamerikanische Gattungen wie Extravaganza, Burleske und Vaudeville seit den vierziger Jahren des 19. Jahrhunderts den Boden der Ausstattungsrevue bereitet. Während das Vaudeville in Amerika eine Mischform aus Varieté und Music-Hall bezeichnete, ähnlich der Burleske, die als Hauptteil eine Travestie oder Parodie enthielt, stellte die Extravaganza als spektakuläres Ausstattungsstück mit Musik und Varieténummern eine direkte Vorform der Revue dar. In New York, der zur Weltmetropole aufstrebenden, am meisten europäischen Einflüssen gegenüber offenen Stadt, glorifizierte zwischen 1907 und 1931 Florenz Ziegfeld in seinen "Follies" das amerikanische Girl. Seine Hyperspektakel wurden in ihrer Mischung aus potenzierter Schau und patriotischem Pathos zur nationalen Institution[19] erhoben.

19. Lt. Progr. New Amsterdam Theatre, New York, 31.10.1927, Thslg. ÖNB Wien.

2. Nationale Revueentwicklung am Beispiel von Berlin und Wien

Das Unterhaltungsangebot der Theater orientierte sich im 19. Jahrhundert vorwiegend an französischen Produktionen des sogenannten leichten Genres. Während die Revue in England und den USA rasch übernommen und mit einheimischen Theaterformen verbunden wurde, vollzog sich die Ausformung der Revue und ihrer Typen im deutschen Sprachraum erst zu Anfang dieses Jahrhunderts und in einem allmählichen Transformierungsprozeß. Dabei wurde die Berliner Revue zum Vorbild, auch für das generell konservative Wien.

Bis zur Mitte der sechziger Jahre des 19. Jahrhunderts hatte in Berlin wie Wien das lokal gebundene Volkstheater neben Singspielhallen mit ihren Volkssängern die Unterhaltungsbedürfnisse breiter Publikumsschichten befriedigt. Mit der ersten industriellen Revolution aber machte sich das Ende des eigenständigen Volksstücks bemerkbar; weniger in Wien, wo man auf der langen Tradition des Alt-Wiener-Volkstheaters aufbauen konnte und gerade erst in Raimund und Nestroy letzte, vollendete Höhepunkte dieser Gattung erlebt hatte. In Wien blieb, bis in unser Jahrhundert hinein, diese Volkstheatertradition lebendig, inkarniert etwa in Schauspielern wie Alexander Girardi und Hansi Niese.

In Berlin dagegen vollzog sich das Absterben des Volksstücks ungleich rapider, weil die Alt-Berliner Posse, relativ jünger und traditionsloser, der zunehmenden Industralisierung und der damit verbundenen Verstädterung und Internationalisierung der jungen Reichshauptstadt eine widerstandsfähige Eigensubstanz nicht entgegenzusetzen vermochte. Die Berliner Posse verlor ihren Lokalcharakter und wurde zum Vehikel früher revueartiger Ausstattungsversuche, als z.B. der Berliner Komiker und Theaterunternehmer Adolph Ernst in seinem Theater[20] aus ihr eine Art überregionalen Ausstattungsschwank machte, *"dessen Attraktion ein paar Zoten, einige sehr bunte Dekorationen und viele nackte Balletteusenbeine waren"*.[21]

In vielen Berliner Possen und Schwänken vor der Jahrhundertwende kündigte sich die Revue sowohl formal als auch in Ausstattung und aktuell-satirischen Bezügen an. Zwar blieb eine durchlaufende Handlung mit gleichbleibenden Personen aus der herkömmlichen Posse erhalten, doch handelte es sich bald mehr um aneinandergereihte Bilder mit aktuellen Couplet- und Tanzeinlagen. Die primäre Schaufunktion übernahm eine sogenannte Produktionsszene im Finale der meist vier bis fünf Bilder umfassenden Ausstattungspossen, indem das Ballett in den Mittelpunkt des größtmöglichen Aufwands an Menschen und Maschinen rückte.

Spektakulär und darin revuemäßig gaben sich die reinen Ausstattungsspektakel, deren Schau-Effekte sich mehr und mehr von einer durchlaufenden Handlung

20. "Adolph-Ernst-Theater", später "Thalia-Theater".
21. Julius Bab, Das Theater der Gegenwart, Bd. 1, Leipzig 1928, S. 157.

lösten. Die Vorliebe für Exotisches, Abenteuerliches grassierte besonders in der zweiten Hälfte des vorigen Jahrhunderts. Die Ausweitung des europäischen Machtbereichs durch die Kolonisierung Afrikas und Asiens förderte das Interesse an Tropen und Orient. Da technische Kommunikationsmittel wie Film und Fernsehen noch keine authentischen Informationen liefern konnten, außerdem der moderne Massentourismus gänzlich unbekannt war, übernahm das Theater die Aufgabe, Realität in den phantastisch-utopischen Bereich der Bühnenillusion zu transponieren.

In Berlin wurde das "Victoria-Theater"[22] unter Rudolf Cerf die Heimstätte der Feerie und des Ausstattungsstücks nach französischem Vorbild. *"Da gingen große Schiffe unter. Schlösser und Türme krachten unter dem Donner der Einsturzmaschine in sich zusammen und geschossen wurde dazu, daß es eine Lust war."*[23] Besonders die Dramatisierungen von Jules Vernes utopischen Abenteuer-Romanen eröffneten die Möglichkeit zu einer Vielzahl von buchstäblich spektakulären Bildern, die in zunehmendem Maße dem Selbstzweck der Lust am Schauen dienten, obwohl sie noch durch eine Handlung motiviert wurden. Emil Hahn, von 1871 bis 1881 Direktor des "Victoria-Theaters", brachte 1875 den größten Erfolg des gesamten Genres heraus: Vernes "Die Reise um die Erde in 80 Tagen".[24] In Wien zeigte 1886 das "Fürst-Theater" im Prater einen "Flug um die Welt" anläßlich eines Gastspiels des "Fliegenden Balletts".

22. Münz-/Alexanderstraße, 1859–1891.
23. Berliner Lokal-Anzeiger, 10.4. 1927.
24. 710 Aufführungen. Vgl. Eberhard Dellé, Das Victoria-Th. Berlin, Berl., phil. Diss. (masch.) 1954.

Ausstattungsphantasien galten solch exotischen Themen wie: "An der Südsee", "Im Piratenschlupfwinkel", "Auf australischer Erde" und "Im Wirbelsturme".[25]

Naive Schauelemente sind seit jeher primäre Wirkungsmittel des Zirkus gewesen. Mit der neueingeführten Gewerbefreiheit der Gründerjahre[26] erwuchs dem Zirkus eine starke Konkurrenz in den überall entstehenden Varietés. Diese Spezialitätentheater, auch Rauchtheater und volkstümlich Tingeltangel[27] genannt, Abkömmlinge der einheimischen Singspielhallen und der englischen Music-Hall und Variety, erlebten ihre erste Blüte im deutschen Sprachraum in den neunziger Jahren des vorigen Jahrhunderts. Die Dynamik des jungen industriellen Zeitalters, das dem Bürgertum zu seiner größten Machtfülle im Zusammenhang mit der kapitalistischen Wirtschaftsform verhalf, führte zu einem gesteigerten Unterhaltungsbedürfnis. Oberflächliche Ablenkung sollte vom neuen Druck einer hektischen Zeit befreien. Als Objekte finanzieller Spekulation — eine Varietékonzession setzte im Gegensatz zur Theaterkonzession einen künstlerischen Leumund nicht voraus —, vereinigten diese "Spezialitätentheater" Varieté mit Zirkus-, Cabaret- und Revueelementen.

Der eigentliche Übergang vom Varieté zur Revue kündigte sich für Deutschland und Österreich damit an, daß nach der Jahrhundertwende die meist im zweiten Teil eines Varietéprogramms folgenden Einakter-Operetten

25. Theaterzettel, Thslg. ÖNB Wien.
26. Deutschland 1869.
27. Diese Bezeichnung soll sich von einem Berliner Gesangskomiker namens Tange ableiten, der in der Singspielhalle "Triangel" ein "Triangellied" zum Besten gab. Vgl. Hösch, a.a.O., S. 35.

oder -Schwänke durch kurze Revuen ersetzt wurden, die weniger ein Defilee komischer lokaler Typen als Ausstattungsbilder boten. In Berlin hatte das "Apollo-Theater" in der Friedrichstraße diese Frühform der Revue initiiert. Die "Rund um"-Revuen mit dem Komiker Robert Steidl und der Musik von Paul Lincke wurden ein Vorbild der späteren "Metropol"-Revuen. An die Tradition des "Apollo" knüpfte der Berliner Komiker und Coupletsänger Otto Reutter an, als er von 1915 bis 1918 das "Palast-Theater am Zoo" in Berlin führte und dort mit dem Protagonisten des "Apollo", Robert Steidl, auftrat. Reutters Varieté-Revue-Programme zeigten keine Trennung mehr zwischen artistischen Darbietungen und Ausstattungsbildern, sondern sie bezogen die Varieténummern in die Episodenhandlung der Revue mit ein. So war eine Varieté-Revue 1916 aus aktuellem politischem Anlaß "Der Zug nach dem Balkan" betitelt.[28]

Nach den Siegen der Mittelmächte auf dem Balkan war die durchgehende Orienteisenbahnlinie eröffnet worden. In Reutters Revue nehmen Vertreter der deutsch-österreichischen Alliierten an der Reise teil, die jedoch kaum zu aktueller politischer Bezugnahme genutzt wird, vielmehr klischeehafte Nationaltypen und unpolitische Witzeleien bringt. Die Varieténummern, in den Kriegsjahren wegen der Auslandssperre sehr beschränkt, wurden als Träume und Erinnerungen in die einzelnen Bilder eingefügt.[29]

Während das erste und repräsentativste deutsche Varieté, der "Wintergarten" im Berliner Central Hotel,

28. Nach einer Idee von Toni Impekoven von Otto Reutter; Musik Paul Lincke.
29. Zu Reutter s. auch II, 2c.

ausschließlich Varietébühne blieb, versuchten sich die großen Wiener Varietés ebenfalls an Revuen im zweiten Teil ihrer Monatsprogramme. So produzierte das "Apollo-Theater" unter Ben Tieber zum sechzigjährigen Regierungsjubiläum Kaiser Franz Josephs eine "Kaiser-Revue". *"Das Resultat . . . war der Entschluß, verschiedene aktuelle, szenisch wirksame Einfälle lose verknüpft zu einer Revue zu vereinen, deren gemeinsamer Grundton ehrlicher Patriotismus und Verehrung des geliebten Monarchen ist."*[30]

Bei der Untersuchung des Librettos drängt sich der Schluß auf, daß hier eine neue Form mit einem alten Inhalt verbunden wurde, nämlich mit dem der patriotischen Huldigungsspiele der Ludi Caesarei am Wiener Kaiserhof des Barock. Auch diese gipfelten in einer Apotheose des Herrschers, freilich in meist mythologischem Gewand. Das trotz aller Untergangsahnungen des Fin de siècle fortschrittsgläubig beginnende 20. Jahrhundert gestaltete die Apotheose direkter: Als krönender Mittelpunkt der "Kaiser-Revue" diente ein Aufmarsch der Nationen der Welt, dargestellt von 150 Mitwirkenden in historischen Kostümen. Den Clou der voraufgehenden Bilder voll unterschwelliger monarchistischer Ideologie bildete das Kinderlied der "Kleinen Wienerin", das das Programmheft in seine "Auslese der von Patriotismus beseelten Liedertexte"[31] aufnahm:

> "Die kleine Wienerin/ Is' heut' so frei,/
> Tritt vor ihr'n Kaiser hin/ Ganz ohne Scheu,/
> Bringt ihm ihr Kinderherz — Das treu gesinnt,/
> Ihm, der sein Jubeljahr — Weiht für das Kind./

30. Progr. Apollo-Th. Wien, 7.12. 1908, S. 11, Thslg. ÖNB Wien.
31. Ebenda.

Wir falten die Hände — Zu innigem Gebet:/
Die Allmacht erfüll' uns — Was so heiß wir erfleht./
Noch viele, viele Jahr' — Der Sorg', des Kummers bar,/
. . . Du guter, lieber, schöner, süßer Großpapa!/"[32]

32. Progr. Apollo-Th., a.a.O.

II. DIE JAHRESREVUE

Innerhalb der Entwicklung und Typen der Revue im deutschen Sprachraum nimmt die sogenannte Jahresrevue eine hervorragende Stellung ein. Sie repräsentierte die erste Revueform des deutschen Theaters, wobei sie ihre eigenständigsten Beispiele in den Aufführungen des Berliner "Metropoltheaters" zu Anfang dieses Jahrhunderts fand. Hier war eine Form geschaffen worden, die nach dem ersten Weltkrieg nicht wieder aufgenommen wurde, sondern zur Trennung in die primär literarische Kabarettrevue, etwa der Hollaenders und Nelsons in Berlin, und die primär visuelle Ausstattungsrevue führte.

Zwischen 1903 und 1914 brachten im Berliner "Metropoltheater" in der Behrenstraße Direktor Richard Schultz, sein Hausautor Julius Freund und die Komponisten Viktor Holländer, Paul Lincke[33] und Rudolf Nelson[34] insgesamt 10 aktuelle Revuen heraus, die als kongeniale Adaptionen des französischen Vorbilds gelten können. Die wesentlichen formalen wie inhaltlichen Kriterien der "Metropol"-Revuen wurden von den zeitgenössischen Revuebühnen, auch in Wien, übernommen — soweit die im deutschen Sprachraum noch junge Revue überhaupt Verbreitung gefunden hatte.

33. "Donnerwetter, tadellos!" (1908) u. "Hallo! Die große Revue!" (1909).
34. "Chauffeur, in's Metropol!" (1912).

Als die Wiener Gebrüder Arthur und Emil Schwarz im ehemaligen Kabarett "Fledermaus" ihre "Femina" eröffneten, entstanden eigenständige aktuelle Wiener Revuen, zwar formal noch nach Berliner Muster. 1913 begann mit "So leben wir" die Reihe der aktuellen "Femina"-Revuen, die — meist von Bruno Hardt textlich verfaßt — im szenisch reduzierten Rahmen des Kellertheater-Nachtlokals für ein weltstädtisches Publikum zu einer Institution werden sollten.

1. Form

Der Autor des Berliner "Metropol", Julius Freund, variierte in seinen Libretti für die Jahresrevuen ein einziges Aufbauschema. Im Unterschied zu den späteren Revuetypen war eine durchlaufende Handlungsidee vorhanden, die nach ihrer Exposition im ersten Bild die nachfolgende Szenenreihe mit den satirisch gefärbten Episoden und den Ausstattungsbildern verband. Der Geist Offenbachscher Mythentravestie vor dem Hintergrund aktueller Zeitsatire schien fortzuwirken, wenn die oft in Versen abgefaßten, in sich geschlossenen Vorspiele in leicht säkularisierten himmlischen oder mythologisch-phantastischen Szenerien angesiedelt und mit entsprechenden allegorischen Figuren bevölkert wurden. Die Revue "Neuestes, Allerneuestes" (1903) begann ihre Szenenfolge im "Berliner Olymp". Oder in "Der Teufel lacht dazu" (1906) nahm die eher harmlos verulkende denn satirische Rundreise durch die Ereignisse der damals jüngsten Vergangenheit ihren Ausgang vom "Audienzsaal Luzifers in der Hölle".[35]

35. Text Slg. Freund, Berlin.

Diese Schauplätze voller Figuren mit aktueller Bezugsmöglichkeit dienten dazu, den lebenden 'roten Faden' in der Gestalt des Compères oder der Commère[36] einzuführen. Diese aus der französischen Jahresrevue übernommenen Figuren besaßen die Aufgabe, in verschiedenen Verkörperungen als in den Handlungsablauf integrierte Conférenciers die einzelnen, häufig heterogenen Szenen zu verbinden.

In den "Metropol"-Revuen fanden sich Compère und Commère meist in der Gestalt allegorischer Figuren, z.B. als Zeit, Venus, Sünde von Berlin, Morpheus, Luzifer und Komet. Neben diesen, von der Gestalt her agitierten, im Dialog aber aktualitätsbezogenen Figuren, traten in den operettenhaft-offenbachiadischen Vorspielen zeitgenössische Gestalten aus Politik und Kultur in Erscheinung: etwa die Serenissimus-Karikatur des "Simplizissimus" ("Neuestes, Allerneuestes", 1903) oder eine Luftschifferin zur Zeit der Zeppelin-Flüge ("Hallo, die große Revue", 1909).

Die Handlungsmotivierung wurde dadurch geschaffen, daß eine Compère- oder Commère-Figur beschließt, aus ihrem phantastischen Reich auf die Erde hinabzusteigen. Als Fremdenführer durch die zu besuchende Metropole gesellt sich eine zweite Conférencier-Figur hinzu. Dieses Rundreiseschema als dramaturgische Klammer entspricht dem Stationenprinzip der Revueform. Solcherart Handlungsmotivierung, die den folgenden Bildern einen gewissen, wenn auch nur äußeren Zusammenhang gab, bot die Möglichkeit, das allegorische Figurenarsenal mit aktuellen Ereignissen zu verknüpfen und daraus das

36. Frz. gleich Gevatter/in, familiär: Kumpan.

Spezifikum "Metropol"-Revue, eine Mischung aus Operette, Kabarettglossen zur Zeit und Ausstattungsposse entstehen zu lassen.

Die dem Vorspiel folgenden Szenen, anfangs vier, später bis zu elf an der Zahl, brachten komische Lokaltypen und streiften humoristisch aktuelle Vorkommnisse aus Politik, Wirtschaft, Kultur und Gesellschaft. Szenische Illustrationen und Gesang- und Tanzeinlagen erweiterten diese Bilder, waren aber durch die Handlung motiviert. Noch dominierte nicht die Schau als Selbstzweck. Folgende Grundmuster und Themenkreise, die bereits Motive der späteren Ausstattungsrevuen vorwegnahmen, lassen sich zusammenstellen:

1. Personifizierte lokale und internationale Sehenswürdigkeiten und Charakteristika.
2. Allegorische Darstellungen und Personifizierungen (Jahreszeiten, Tänze, Nationen).
3. Historische und zeitgenössische Moden.
4. Lebende Bilder: Sie standen im Zusammenhang mit Ausstattungseffekten, die von den Jahresrevuen in Szenen aktueller Bezugnahme integriert wurden.[37]

Als Finale kannten die Jahresrevuen ein handlungsgelöstes Ausstattungsbild, meist in der Form einer Balletteinlage. Es handelte sich dabei vorwiegend um allegorische Themen. Erst später entwickelte man die Finali aus dem zeitbezogenen Inhalt der vorausgegangenen Szenen, wobei das Tänzerische dominierend blieb.

37. In "Der Teufel lacht dazu" (1906) wurde anläßlich der Geburt eines Hohenzollernprinzen die Kaiserproklamation nach einem Gemälde als lebendes Bild dargestellt.

2. Inhalt

A. Publikum und Aussagetendenz

Als um die Jahrhundertwende die deutschsprachige Jahresrevue in Berlin ihre erste Heimstätte fand, herrschte seit dreißig Jahren Friede in Mitteleuropa. Das wilhelminische Deutschland hatte den Höhepunkt seines Selbstbewußtseins erreicht. Nach der Reichsgründung von 1871 hatte der wissenschaftlich-technische Fortschritt der Gründerjahre eine ungeahnte Prosperität zur Folge gehabt, die aber aufgrund der bestehenden Gesellschaftsordnung nur dem Bügertum zugute kam. Mit der zweiten Industralisierungswelle gingen Bevölkerungszunahme und Massenbildung des lohnabhängigen Proletariats in den neuen großstädtischen Ballungszentren Hand in Hand.[38] Seit 1900 erlebte besonders die Reichshauptstadt Berlin als junge, mit Wien rivalisierende Metropole des deutschen Sprachraums, eine zweite Gründerzeit, die sich äußerlich auch kulturell in zahlreichen Theaterneubauten und -gründungen manifestierte. Die in der Mehrzahl kommerziell ausgerichteten Bühnen versorgten das neue bürgerliche Publikum mit neuen Formen theatralischen Amüsements. Eine davon war die Revue. Unterhaltung war zur Sucht geworden, vor allem bei den zahlungskräftigen bürgerlichen Schichten. Sie suchten

38. Einwohnerzahlen 1910: Berlin 3,2 Mio., Wien 2,4 Mio.

33

den leichten Oberflächenreiz der Zerstreuung, der mit der nervösen Atmosphäre des dekadenten Fin de siècle korrespondierte.

Das Aufkommen von Trivialformen auf dem damaligen Theater ist im Zusammenhang mit der allgemeinen europäischen Kulturkrise der Jahrhundertwende zu sehen. Der materielle Wohlstand hatte zu einer kulturellen Stagnation geführt. Ehemals einheitliche Stile waren einem Pluralismus der Stillosigkeit gewichen, der sich besonders im triumphierenden Unterhaltungsbetrieb dokumentierte. Dem Wunsch der lebens- wie vergnügungssüchtigen Bürger entsprach in besonderem Maße die Jahresrevue. Sie stammte aus Paris, und Paris war ein Synonym für weltmännischen Lebensstil. Cabaret, Varieté, Palais de dance wurden importiert und auch die "Revue de fin d'année". Ihre schnell etablierten deutschen Adaptionen im Berliner "Metropoltheater" und in den Wiener Varietés und der Revuebühne "Femina" bezogen ihr Publikum aus drei Schichten: 1. Ausländer, 2. Provinzler, die ihre Hauptstadt besuchten und 3. das Stammpublikum aus der bürgerlichen bis adligen Gesellschaft einschließlich ihrer Lebe- und Halbwelt. Die Premieren des "Metropol" eröffneten Jahr für Jahr die offizielle gesellschaftliche Saison Berlins.

"Die Metropoltheater-Revuen waren für eine bestimmte aufgeklärte bürgerliche Schicht geschaffen . . . , man suchte sein Publikum an keiner Stelle zu langweilen und an keiner zu brüskieren."[39] Unterhaltung in makarthaft-pompöser Ausstattung und harmlos-satirische Kritik an Aktuellem, das waren die Pole, zwischen denen

39. Walter Freund, Aus der Frühzeit der Berl. Metropoltheaters. In: Kl. Schriften d. Ges. f. Theatergesch., H.19, Berlin 1962, S. 50.

sich die Jahresrevuen bewegten. Ihre Inhalte und Aussagen mußten schon aus kommerziellem Interesse des Theaters genau der konservativen Geisteshaltung der mittelständischen bis großbürgerlichen Schichten entsprechen, die die Revueform trugen. So hielten sich die Jahresrevuen selbst in ihren satirischen Anspielungen an die politisch-geistige Grundhaltung der offiziellen, staatstragenden Bevölkerungskreise, und diese waren kaisertreu, patriotisch, militaristisch und uneingeschränkt selbstzufrieden, wie es der "Es ist erreicht"-Gesinnung des satten Bürgertums im Wilhelminismus entsprach.

Brüskiert wurde nichts und niemand, wenn auch dem Militär einmal der Besuch des "Metropoltheaters" verboten wurde.[40] Von einer schrankenlosen Freiheit des Gedankens und Wortes, von wirklicher Satire, die dem französischen Vorbild zu eigen war, konnte beim deutschsprachigen Nachfolger schon aufgrund der Zensur nicht die Rede sein.[41] Man arrangierte sich mit den Zensurbehörden. Voraussetzung war jedoch, daß niemals *"etwas von einer grundsätzlichen Opposition gegen den Staat zu spüren war, und so konnte man Minister, Agrarier, Zentrum und Sozialdemokratie in das Bühnengeschehen einbeziehen und doch das Einigende irgendwie in den Vordergrund rücken"*.[42]

40. Anläßlich der Revue "Donnerwetter, tadellos!", Metropoltheater Berlin 1908.
41. Vgl. Dora Duncker, Das Metropolth. u. die Berliner Revue. In: Bühne u. Welt, Jg. 10 (1908), H.1, S. 45ff.
42. Freund, a.a.O., S. 62f.

B. Satire und Aktualitätsbezug als System-bejahung

In den aktuellen, vorgeblich satirischen Anspielungen der Jahresrevue konnte Kritik an den Vertretern der Institutionen, an ihren Schwächen wie Auswüchsen geübt, nie aber durften die Institutionen selbst, Staat und Gesellschaftsordnung in Frage gestellt werden. Beliebter, weil harmloser und vordergründig unterhaltender, waren Anspielungen auf lokale, meist unpolitische Begebenheiten. Sie standen vor allem in den Wiener Jahresrevuen im Vordergrund des Aktualitätsbezuges. Themen bildeten u.a. der Bauboom der Gründerjahre, technische Neuerungen wie U-Bahn, Telefon und Luftschiffe; außerdem Verkehrsregeln, Steuerlast und die in Mode gekommenen anrüchigen Schönheits-Tanzabende. Daneben füllten Hinweise auf Erfolgsstücke und Berühmtheiten des kulturellen Lebens den Platz für aktuelle Bezugnahme im Schema der Jahresrevuen. Man attackierte den "Reiseregisseur" Max Reinhardt[43], Erfolgsdramatiker wie Sudermann und Hauptmann oder Frank Wedekind, den Bürgerschreck des Kaiserreiches, mit einer Parodie auf "Frühlings Erwachen"[44].

43. "Teufel, das hat eingeschlagen", Walhalla-Th. Berlin 1911.
44. "Das muß man sehen", Metropolth. Berlin 1907.

a. Außen- und innenpolitische Bezüge

Daß eine Revue über Anspielungen auf lokale Ereignisse hinaus nationale wie internationale Politik satirisch zu beleuchten versuchte und damit mögliche Kritik vor einer relativ breiten Öffentlichkeit überhaupt formulierte, erschien dem spezifischen Publikum der Jahresrevue als gewagt und progressiv. Doch die textlichen Anspielungen entsprachen nur der konservativen Erwartungshaltung der Zuschauerschicht der Revuetheater.

Eine satirische, vorurteilsfreie Parabel auf die brisante politische Situation in Europa am Vorabend des ersten Weltkriegs, wie sie das Vorspiel zur letzten "Metropol"-Revue darstellte, bildete eine Ausnahme. "Chauffeur, ins Metropol" (1912) zeigte Europas Kinderstube. Darin als Spielzeug *"vor allem überall Gewehre, Säbel, Fahnen . . ."*[45] Mama Europa hat Sorge mit ihren Kindern. Da ist Marianne, die "Revanche" ruft. Und das Sorgenkind Mohamet (Türkei) verkündet: *"Die verfluchten Makkaroni lieg'n mir im Bauch. Und verstopfte Dardanellen hab' ich auch."*[46] Michel blättert in einem neuen Kongobilderbuch[47] und leidet an Röteln[48]. Jonny ist an Wassersucht erkrankt.[49] Als Gegenmittel empfehlen weitsichtige Doktoren: *"Aus Krupps Apotheke kein Eisen mehr."*[50]

45. Text Slg. Freund.
46. Ebenda. Anspielung auf türkisch-italienischen Konflikt.
47. Bezug auf deutsche Kolonialinteressen.
48. Zunahme der sozialdemokrat. Abgeordneten im Reichstag.
49. Bezug auf britische Flottenverstärkung.
50. Text Slg. Freund, Bild 1.

Häufiger, weil unproblematischer, waren satirische Anspielungen auf politische Affären mit privaten Aspekten. In "Die Nacht von Berlin" (1911) sangen die Kabarett-Diseuse Gussy Holl und die Soubrette Madge Lessing als entthronter König Manuel von Portugal und dessen Geliebte:

> "Es saß ein klein Regentchen/ In einem kleinen Ländchen -traderideralala./ Auf einem kleinen Thron./
> Es lag ein Chansonettchen/ Im seid'nen Himmelbettchen -traderideralala./ 'Ne reizende Person!/ . . .
> Du reizendes Persönchen!/ Mein Thrönchen und mein Krönchen/ Teil ich mit Dir, mit Dir allein . . ./" [51]

Bei den Wiener Jahresrevuen trat, der Mentalität des Publikums entsprechend, die aktuelle politische Satire vor zeitlos unpolitischer Typenkomik und Witzeleien über allgemeine Begebenheiten aus Gesellschaft, Kunst und Mode in den Hintergrund. Dafür betonte man eine klischeehaft sorglose, genußsüchtige Lebensfreude, wie sie ein Couplet aus "Das sündige Wien" zum Ausdruck bringt:

> "Verhüllt ist vom Geschicke/ Die Zukunft unserem Blicke./ Darum schaut und vertraut/ Nicht auf's unbekannte Ziel./ Die Gegenwart genießen./ Wenn Freuden ihr entsprießen./ Seid bereit zu jeder Zeit,/ Lebt und denkt nicht allzuviel . . ."[52]

Politische Satire gab sich, wenn überhaupt vorhanden, eher kalauerhaft. Selbst verschlüsselte Attacken wurden von der Zensur beanstandet. So z.B. fielen in der Wiener Fassung von "Hurra, wir leben noch" (1910) folgende Anspielungen dem Rotstift zum Opfer:

---

51. Metropolth. Berlin, Text Slg. Freund.
52. Ronacher, Wien 1909, Text Niederösterr. Landesarchiv (NÖLA) Wien.

"Leutnant Mucki Oberleitner: Kolossal . . ., was wir Cis- und Translateiner so in der letzten Zeit alles für Spassetteln angestellt haben. (Herzegowina! Bosnien! . . . Wenn Seine Majestät, unser erhabener Bundesbruder uns nicht so fest die Treue gehalten hätt – . . . die Frau Baronin Suttner, die Friedensberta, ganz allein hätt das Malheur wahrscheinlich gar nimmermehr aufhalten können)."[53]

In der Innenpolitik bildete die Sozialdemokratie ein häufiges Ziel eher diffamierender als satirischer Angriffe mit reaktionärer Tendenz. Das mittlere bis obere Bürgertum als herrschende und staatstragende Klasse erhielt damit eine Propagandaplattform für seine Ideologie, indem diese in vorgeblicher Satire bestätigt wurde. In der Person Bebels attackierte man die gesamte sozialistische Bewegung. In der "Metropol"-Revue "Ein tolles Jahr" (1904) erschien Bebel in karikiertem Abgeordnetenornat:

"Ich bin der Bebel, der Bebel, der Bebel,/ August der Erste,/ Der König vom Proletariat!/ . . . die Freiheit jedem Menschen garantier' ich,/ Doch wer nicht will wie ich, den massakrier' ich!/"[54]

In Wien spiegelten die "Femina"-Revuen vor allem in der Zeit des Zusammenbruchs der Monarchie Meinung und politisches Bewußtsein des bürgerlichen Publikums. Mit zunehmender Verschlechterung der Versorgungslage befaßte man sich zunächst noch mit den äußeren Folgen von Politik und Krieg: Lebensmittelknappheit, Stromsperre, frühe Polizeistunde. Als die "Femina" 1918 nach dem Zusammenbruch wiedereröffnete, brachte die Revue mit dem programmatischen Titel "Um die Ecke links" Anspielungen auf die revolutionäre innenpolitische Situation in Österreich. Im Bild "Revolution in der Hölle" sang ein entthronter Pluto:

53. Gestrichene Passage in Klammern. Text NÖLA Wien.
54. Text Slg. Freund.

1. "Ein kalter Zug weht durch die Welt/ Es klappern ein'
   die Zähn./ 'S wird alles auf den Kopf gestellt −/ Was wird
   da noch gescheh'n?/ . . .
2. Die Leut' woll'n nimmer recht parier'n,/ Da g'schicht
   noch ein Malheur./ Wenn's nächste Zeit nicht besser
   geht,/ Mein Extrazug ist heiz'/ Und führ' den Rest von
   Majestät/ Nach Holland oder in d' Schweiz./" [55]

Der reaktionären Haltung der Besucher wurde entsprochen, wenn sich in derselben Revue zwischen
"Obersthöllenmeister" und "Pluto" folgender Dialog
entspann:

> "Hoheit wollen geruhen, die neue Bratröhre für die Sozi
> und ähnliches Volk zu besichtigen!" Pluto: "Das is g'scheit.
> Die Sozi hab' ich eh g'fressen. Da heißt es heute rot, morgen
> tot . . . Sind welche eingeliefert worden?" Höllenmeister:
> "Ein paar sozialdemokratische Weiber . . ." Pluto: "Nur fest
> einheizen." Höllenmeister: "Wenn wir nur könnten . . .
> leider." [56]

b. Klassengesellschaft: Adel, Militär und Proletariat

Daß die Klassenstruktur des herrschenden Gesell-
schaftssystems nicht angegriffen wurde, resultierte aus
der bürgerlichen bis feudalen Provenienz des Publikums.
So bezogen sich satirische Bezüge innerhalb des Themen-
kreises von Aristokratie und Militär nicht auf die Ursachen und Bedingungen, sondern nur auf die aktuellen
Anlässe und Protagonisten des Kritisierten, das man als
verzeihliche Ausnahme lächelnd spöttisch kommentier-
te. Der grundsätzliche Herrschaftsanspruch dieser
Schichten aber blieb unangefochten. Daher wiesen die
gesellschaftsbezogenen Szenen der Revuen indirekt sy-

55. Text NÖLA Wien.
56. Ebenda.

stembejahende, wenigstens konservative Tendenzen auf, auch wenn äußerliche Kritik dominierte, z.B. am Standesdünkel des Militärs.[57]

Das wohl berühmteste Couplet aller "Metropoltheater"-Revuen, das Titellied aus "Donnerwetter, tadellos" (1908), ist vielleicht auch das signifikanteste Beispiel für die Art, mit der einerseits den Kritikern scheinbar schneidige Satire geboten wurde, zum anderen aber die Angegriffenen sich noch verherrlicht fühlen konnten:

1. "Garde, meist sehr exklusiv,/ Von feudalem Geist,/
Sieht auf Bürgerpack nur schief,/ Weil ihr Grundsatz heißt./
'Adelsprädikat bezweckt,/ Daß kein Plebs uns nah'!'/
Völlig wertlos sei'n Subjekt,/ Ohne Prädikat!'/.

3. In der schneid'gen Uniform/ Knappheit prononciert!/
In der Haltung, in der Form,/ Schlappheit zart markiert./
Schultern etwas vorgehängt,/ Ein Parfüm am Leib,/
Das pikant zusammendrängt/ Stall und Sekt und Weib!/

Refrain:
Donnerwetter! Donnerwetter! Wir sind Kerle,/
Frauenandrang manchmal geradezu grandios./
Donnerwetter! Jeder einzelne 'ne Perle —/
Also wirklich! Donnerwetter, tadellos!"[58]

Das traf zwar in der Diktion genau den preußischen Junkerton, war aber so weit interpretierbar formuliert, daß sich alle angesprochen und niemand verletzt fühlen konnte. Die Zustimmung überwog indirekt. Denn wo die Attackierten selbst im Parkett saßen, war intellektuelle Kritik à la "Simplizissimus" unmöglich.

57. So in der "Metropol"-Revue: "Ein tolles Jahr": Die Berliner Denkmäler fordern: ". . . Gestattet sei der Marmor drum nunmehr/ Nur noch für Götter oder Militär! Es soll der Mensch allein/ Vom Leutnant aufwärts marmorfähig sein!/" Text Slg. Freund.
58. Text Slg. Freund.

Eine Szene aus der sogenannten Unterwelt einer Stadt stellte über die Lokalbilder mit ihrer Kollektion von Typen und Originalen hinaus einen festen Programmpunkt innerhalb einer Jahresrevue dar. Bezeichnend für die Erwartungshaltung des spezifischen Revuepublikums erscheint es, daß hier Lebensorte der Deklassierten als pittoreske Genrebilder voller romantisierter Gauner und Dirnen gezeigt wurden, ohne auf die sozialen Prämissen der realen Zustände hinzuweisen. Man sang z.B. ein verniedlichendes "Gaunerduett"[59] und spielte Sketche Marke Kalau: Henry Bender als "Schmierenkarl" und Fritzi Massary als "Lumpenjuste" in "Auf in's Metropol" (1905): *"Mir haben sie verpfiffen, weil ick'n Hufeisen jefunden habe."* Sie: *"Weiter nischt?"* Er: *"Det Pferd war noch dran."*[60]

Allgemein wurden die Vertreter der sozialen Unterschicht als meist komische oder exotische Wesen dargestellt, deren Dasein man in Liedern und Dialogen verharmlosend sentimental oder romantisierend färbte. Nur in der "Metropol"-Revue "Hallo! Die große Revue" (1909) kam unvermittelt erstaunlich direkte Gesellschaftskritik zum Ausdruck: Im "Speisewagen-Couplet" bestellt ein Reisender der dritten Klasse ein Diner:

"Da sprach in grimmem Basse/ Zu mir der Kondukteur:/ Jetzt speist die erste Klasse,/ Die dritte frißt nachher./ . . . So wird der fein'ren Klasse/ Gelinder jede Qual!/ Die Not der dritten Klasse,/ Die ist dem Staat egal./"[61]

Und trotz seiner balladesken Pseudoromantik kann das "Lied der Heimarbeiterin" aus "Die Nacht von Berlin" (1911) anklägerisch gewirkt haben:

59. "Auf in's Metropol" (1905).
60. Text Landesarchiv (LA) West-Berlin.
61. Text Slg. Freund, Bild 5.

1. "Was wißt denn Ihr, die gebettet seid/ Im Nest, im trau-
ten und warmen,/ Was wißt denn Ihr, von dem Herzeleid/
Im Heim der Ärmsten der Armen?/ . . .

2. Und die Lampe schwelt mit so trübem Schein — /
Ein Frösteln schüttelt die Glieder,/ . . . Da plötzlich tönt's
von der Wiege her,/ Ganz leis, wie verhaltenes Klagen,/
Da flieht der Schlummer . . ./ Weiter! Weiter! flüstert der
Wind — / Schaff für Dein Leben — schaff für Dein Kind!/ . . .

3. Es reibt sich die Hände der Fabrikant,/ Und er schichtet
die strömenden Nickel/ Zu hohen Säulchen mit zärtlicher
Hand:/ Ein lohnender Massenartikel!/ . . .
Stille! Stille! flüstert der Wind — / Sie hat's nicht mehr
nötig, das fleißige Kind! Es rollen die Schollen auf ärm-
lichen Sarg! Nun braucht sie nicht mehr – ihre halbe
Mark!/"[62]

c. Patriotismus und Militarismus

Der konservative bis systembejahende Charakter der
Jahresrevuen trat besonders in den patriotisch gefärbten
Szenen zu Tage. Wenigstens ein vaterländisch gestimm-
tes Tableau — während des ersten Weltkriegs handelte es
sich oft um die gesamte Bilderfolge — hatte den vom
Publikum erwarteten Patriotismus zu propagieren. Und
auch wenn einmal die dominierende Stellung des Militärs
kritisiert wurde, so entzog man sich nicht dem offiziellen
säbelrasselnden Militarismus.

In "Neuestes, Allerneuestes" (1903) zog, nachdem
der Burenführer Dewet königlich empfangen worden
war, eine Fahnenkompanie ein, die im Chor Martiali-
sches verkündete:

62. a.a.O., Bild 2.

"Jedem, der im Felde sein Panier/ Verteidigt hat mit Blut und Leben,/ Dem drücken brüderlich die Hände wir/ In treuer Freundschaft hingegeben./ Uns're Fahnen werden immerdar/ Wir schützen kühn mit blanker Wehre/ Und sterben gerne zur Stund der Gefahr/ Für Deutschlands Macht und Ehre./"[63]

Für die Revuen der Kriegszeit[64], die nach 1914 auf der Welle "vaterländischer Schauspiele"[65] erschienen, können die Verse des Komikers Otto Reutter aus seiner Revue "Berlin im Krieg" (1917) Thema und Tendenz dieser teilweise chauvinistischen Indoktrinierungsveranstaltungen umreißen: *Zur Zeit gibt's nur einen Reim,/ Und dieser Reim — der reimt sich auf 'Krieg',/ Das ist ein Wort — es lautet 'Sieg' . . .*"[66]

Auch das "Metropoltheater" ging mit einer Kriegsrevue in den Herbst 1914. "Woran wir denken" war ganz in den Dienst einer chauvinistisch übersteigerten patriotischen Missionierung des Publikums gestellt und mutet, wie viele thematisch ähnliche Revuen, in seiner blinden Kriegspropaganda eher peinlich an. Schnitter Michel, klischeekonform in der Maske Hermanns des Cheruskers, verkündete in nachmaligem Blut-und-Boden-Ton: *"Deutscher Stärke / Friedenswerke / Prangen froh im Sommerglanz! / Deutschem Herde,/ Deutscher Erde / Flechten wir den Erntekranz."*[67] Da die natürlich feindlich gesonnenen Nachbarn Aggressionen beginnen, müssen die deutschen Frauen Abschied nehmen von ihren ins Feld ziehenden Männern. In einem Walzerlied ist wieder die gefährliche Mischung aus Sentimentalität und unreflektierter Heroisierung des Krieges festzustellen:

63. Text Slg. Freund.
64. Im folgenden wird der Terminus Kriegsrevue gebraucht.
65. Wie u.a. "Immer feste druff!" von Haller, Wolff u. Kollo.
66. Text LA West-Berlin.
67. Ebenda.

"Und tönt in ernster Zeit/ Der Kriegsruf über die Welt hin,/
Dann reckt sich gewaltig die deutsche Maid,/
Die deutsche Frau, sie wird zur Heldin./
Wie kalter Stahl und Eisen so fest,/ Verbeißt sie den Schmerz,
den herben,/ Wenn sie den Bruder, den Gatten entläßt,/
Zum Kampfe, vielleicht gar zum Sterben./"[68]

Einen Höhepunkt erreichte diese Art latenter milita-
ristischer Propaganda in derselben Revue im Bild "Weih-
nachten im Schützengraben", das des Deutschen emotio-
nalstes Fest benützte, um mit Mitteln der Sentimentali-
sierung und gedankenloser Schneidigkeit die Brutalität
des Krieges zu verharmlosen. "Schützengrabenlied mit
Chor":

"Als Höhlenmensch im Schützengraben/ Verleb' ich eine
sel'ge Zeit./ Statt Unter'n Linden rumzutraben,/ Sitz ich in
stiller Einsamkeit./ . . . Brauch' ich nichts tun, als bloß zu
schießen,/ Wenn mal der Feind sein Köppchen zeigt./"[69]

Ein Beispiel für die Verquickung von Chauvinismus
mit falschem Heldentum, das den Tod heroisiert, gibt
das Lied "U-Boot heraus" aus Otto Reutters Revue "Berlin im Krieg" (1917). Refrain:

"Für der deutschen Heimat Ehre/ Kämpft die todesmut'ge
Schar./ Für die Freiheit deutscher Meere/ Hebt die Schwingen
Preußens Aar./ . . . Und wenn die Besten finden/ Ein nasses
Wellengrab,/ Laßt doch den Mut nicht schwinden,/ Gebet!
Die Mützen ab!/ Dann aber stoßt das Eisen in's Herz dem
Britenleum,/ Um würdig Euch zu weisen/ Den Helden von
'U 9'./"[70]

Der allgemeinen, auch von den meisten Intellektu-
ellen nach 1914 geteilten Kriegsbegeisterung ist solcher
Zynismus zuzuschreiben. Doch auch nachdem sich das

68. Ebenda.
69. Ebenda.
70. Palastth. am Zoo; Text LA West-Berlin.

ganze grausame Ausmaß des Krieges gezeigt hatte, wurden noch im April 1918 in der Revue "Was sag'ste nu? " Durchhalteparolen verkündet:

> "Wo solche Kräfte wirken und walten,/ Muß Kriegsglück den Einzug halten./ . . . So werden wir dereinst siegen,/ Und Friede wird uns neu ersteh'n − / Deutschland, du kannst nicht unterliegen,/ Deutschland, du kannst nicht untergeh'n."[71]

Und selbst eine äußerlich nüchtern-ironische Betrachtung des Kriegalltags konnte die Not der Bevölkerung verniedlichen helfen, indem man offizielle Durchhalteparolen künstlerisch verbrämte. In Reutters "Berlin im Krieg" sangen "Bubi" und "Mädi" zur Melodie von "Weißt du, wieviel Sternlein stehen":

> "Weißt Du, wieviel Hühner stehen/ Selbstgezüchtet im Salon? Hörtest unser'n Hahn Du krähen/ Früh um 4 auf der Chaiselongue?/ Ein Pensionsschwein liegt im Ofen − / Das Klavier macht nicht Musik − / Denn es dient als Schweinekober − / Anstatt 'Wagner' hört man 'Quieck'./ Und wenn man solche Tierzucht hat −/ Dann werden auch die Kinder satt!/"[72]

Die Wiener Kriegsrevuen unterschieden sich in ihrem patriotischen Pflichtstückcharakter nicht wesentlich von ihren Berliner Parallelen. Interessant erscheint die Ausstattungsrevue "Wie wird man Millionär?" (1918), die der Schaulust des Publikums kriegsgemäße Objekte bot. Eine Wettfahrt von Batavia über alle kriegsführenden Länder nach Fiume bildete den Anlaß für szenische Effekte, indem − wie es die Wiener "Neue Freie Presse" formulierte − die *"furchtbaren Begebenheiten auf dem Weltkriegstheater in geschmackvoller und niemals den gebotenen Takt verletzender Weise in die flott geschürzte Handlung"*[73] miteinbezogen wurden. Die "geschmack-

71. Rose-Th. Berlin; Text LA West-Berlin.
72. Text ebenda.
73. Neue Freie Presse (NFP) Wien, 6.1. 1918.

volle" Einbeziehung der Weltkriegsereignisse bestand u.a. darin, daß man mit der Darstellung eines Zeppelin-Angriffs auf London und eines U-Boot-Interieurs den Daheimgebliebenen die Grausamkeit des Krieges als nervenkitzelnde Unterhaltung bot.

Typisch für die bigotte Atmosphäre der Zeit ist das "Lied der Rosa" aus der "Femina"-Revue "Hurra! Wir siegen!" (1914): *"Lieber Gott, im Himmel droben,/ Mach doch bitte Schluß von oben./ Laß die Österreicher siegen/ Und die Feinde Haue kriegen!/"*[74]

Somit blieben die zu Kriegsrevuen umfunktionierten Jahresrevuen ungeachtet der Realität des Krieges dem von ihrem Publikum vorgegebenen Grundsatz steter Bejahung des Herrschenden treu, das jetzt als Schicksal ungerecht über die Selbstgerechten hereingebrochen war. Kriegsnöte und Grausamkeit wurden auf kitschige Weise verniedlicht, und der Krieg selbst wurde zum Anlaß für Ausstattungseffekte.

74. Text NÖLA Wien.

3. Zusammenfassung

Als 1913 die Herbstpremiere des "Metropoltheaters" erstmals nach zehn Jahren keine Revue mehr brachte, sondern das Ausstattungsstück "Die Reise um die Erde in 40 [!] Tagen" nach Jules Verne, signalisierte dies das beginnende Ende der großen Jahresrevuen im gesamten deutschen Sprachraum. Nach dem frühen Tod des "Metropol"-Librettisten Julius Freund im Januar 1914 und eines der wesentlichsten Mitwirkenden der Berliner Revuen, Josef Giampietro, wurden Versuche zu einer Reform und Neubelebung der etablierten Jahresrevue nicht mehr unternommen, was auch im Zusammenhang mit der kriegsbedingten Isolierung vom Ausland stand. Das "Metropoltheater" ging zur Operette über, die dem Wunsch nach unkritischer Unterhaltung leichter entsprach.

Die Jahresrevuen Berliner Musters hatten sich mit ihrem spezifischen Publikum überlebt. Als für die homogene, diese Revueform tragende Schicht mit dem Ende des ersten Weltkriegs die alten Ordnungen zusammenbrachen, war den Jahresrevuen neben der finanziellen auch die geistige Basis entzogen. Es fehlten nun jene unausgesprochen, aber stets präsenten Gemeinsamkeiten in politischer wie sozialer Überzeugung, auf denen die Bezüge der Revuen hatten aufbauen können. Als Institution des gesellschaftlichen Lebens Berlins hatten die "Metropol"-Revuen das weltstädtische Lebensgefühl

48

des Bürgertums auf dem Höhepunkt seines Selbstbewußtseins und Selbstverständnisses repräsentiert. Als Glossator des wilhelminischen Deutschland zeichneten die Jahresrevuen in harmlosen, eher Verulkung als echte Satire beinhaltenden Szenen das Bild der Oberschicht des Staates einschließlich ihrer Typen, Unterhaltungswünsche und politischen Überzeugungen.

"Mit ihrem Kern von kritisch-parodistischem Witz unter den mehr oder weniger phantastischen Hüllen von Kostüm, vielfarbiger Beleuchtung und üppiger Schaustellung, entsprachen sie durchaus dem realistisch-irrationalen Doppelwesen dieses Berlin. In dem Bestreben, auf eine deutsche Art pariserisch zu sein, sind diese Versuche wie von selbst zu einem Stil gekommen, der etwas Wienerisches annehmen mußte."[75]

Die Wiener Jahresrevuen, mentalitäts- und lokalbedingt unpolitischer, unterstrichen stärker die Unterhaltungsfunktion der Revue. Doch auch in ihnen war der Zeitbezug stets relevant ˉals Reflex der untergehenden Welt der k. und k. Monarchie.

75. Julius Bab u. Willi Handl, Wien und Berlin, Neue Ausgabe Berlin 1926, S. 279.

III. DIE AUSSTATTUNGSREVUE

1. Aufbau

A. Rahmenhandlung und Nummernschema

Kannte die ältere Jahresrevue im deutschen Sprach raum im wesentlichen eine Rahmenhandlung in der Funktion des 'roten Fadens' als dramaturgische Aufbau - form, so existierten bei der jüngeren Ausstattungsrevue Rahmenhandlung und unverbundenes Nummernschema nebeneinander. Dabei zeigte sich nach anfänglich zeitlicher Parallelität der Formen im Laufe der zwanziger Jahre eine Tendenz zur handlungslosen Nummernrevue. Im Gegensatz zu den westeuropäischen und amerikanischen Revuevorbildern wagte es jedoch die Mehrzahl der deutschsprachigen Revuen nicht, Einzelszenen gänzlich unverbunden aneinander zu reihen. Ein leitmotivischer Handlungsfaden oder die Weiterführung der nun nicht mehr allegorischen oder mythologischen Compère- und Commère-Figuren versuchte den Einzelbildern einer Revue eine Handlungsmotivierung zu geben.

Die Verbindung zwischen dem 'roten Faden' der Handlung mit den Figuren Compère und Commère einerseits und den Einzelbildern andererseits erweist sich bei vielen der untersuchten Revuen allerdings nur am Anfang als kontinuierlich durchgeführt. In der frühen

Schwarz-Revue "Wien gib acht" (1923) lernt ein Wiener Lebemann als Compère beim Wintersport die silberne Mondgöttin kennen. Diese verläßt ihr astrales Reich und folgt dem unwiderstehlichen Fred nach Wien, das die beiden im nachfolgenden Bühnengeschehen durchstreifen.

Eine Liebesgeschichte, die die geographischen Stationen einer Revuehandlung verband, kann als Rudiment des Operettenschemas betrachtet werden.[76] Dagegen war die unverbundene Reihung einzelner Nummern und Bilder in der Revue direktes Erbe des Nummernvarietés und -kabaretts. Sie entsprach am meisten dem Wesen der Revue, indem sie ihr als Auflösungsform der dramatischen Einheiten keine Handlung aufzuzwingen versuchte, sondern auf eine Abfolge von primär visuellen Szenen abzielte.

Die Mehrzahl der dem Nummernschema zuzuordnenden Revuen faßte ihre Bilderfolge unter einem weit gewählten Titel zusammen, etwa "Wann und Wo".[77] Symptomatische Hinweise auf die Anwendung des Nummernschemas in den Ausstattungsrevuen geben Äußerungen von Kritikern, z.B. über die James-Klein-Revue "Das hat die Welt noch nicht gesehen" (Berlin 1924): *"Welch ein buntes Quodlibet! Pariser Apachen, spanische Tänzer,*

---

76. Walter Brommes Berliner Revue "1000 süße Beinchen" (1925) zeigte mit ihrem Vaudeville-Operettenstoff einen deutlichen Rückbezug auf die Handlungsschablone der dreiaktigen Operette: "Ein Graf . . . hat eine Frau. Die Frau will sich aus irgendeinem Grunde . . . an ihrem Mann rächen. Deshalb wird sie Mannequin . . . Und es ist noch eine Tochter da, . . . und die liebt wieder einen anderen. Und so geht das immer weiter, daß man schließlich gar nicht mehr weiß, wem die einzelnen Beine gehören." Oscar Bie, Rez. Berliner Börsen-Courier, 19.3.1925.
77. Zu den Titeln s. III, 2A.

jüdelnde Agenten, eine New Yorker Jazzband, englische
Girls, . . . Modeschönheiten, . . . ein mit 90 Zwergen
bemanntes Riesenspielzeug, optische Tricks, viel Kleider-
pracht und noch mehr Enthüllungen." [78]

Beide Bauformen kannten eine Art Exposition: hu-
moristische Szenen vor allem in den Revuen mit Rahmenhandlung und Einzug des Ensembles in der sogenannten Produktionsnummer, die in den Nummernrevuen als Stimmungsmacher psychologisch eingesetzt
wurden. So wünschte die Haller-Revue "An und Aus"
(1926) einen "Guten Abend" und hieß dann im zweiten
Bild "Willkommen in der Haller-Revue", um in der "Vorstellung vor der Vorstellung" das gesamte Solisten- und
Tanzpersonal einschließlich des Orchesters zu präsen-
tieren. [79]

B. Wort, Gesang und Tanz

Die Ausstattungsrevue als eine primär auf sinnliche
Reize und Effekte abzielende theatralische Gattung
mußte im Laufe ihrer Entwicklung den Anteil des mehr
die Ratio ansprechenden Wortes reduzieren. Die Revuen
mit betontem Handlungsrahmen wiesen anteilsmäßig ein
nahezu gleiches Verhältnis auf von Wort in Sketch und
Conférence und Visuellem in Ausstattung und Ballett.
Mit zunehmender Angleichung an den internationalen
Stil der Revue und der damit verbundenen Nivellierung
des geistigen Anspruchs blieben nur mehr Conférencen
und wenige, international bekannte Sketche übrig.

78. Rez. Vossische Zeitung Berlin, 1.9. 1924.
79. Progr. Apollo-Th. Wien 1927, Thslg. ÖNB Wien.

Über die Art der Conférencen, meist von den Darstellern der Sketchrollen übernommen, liegen dem Verfasser keine Materialien vor. Es darf aber angenommen werden, daß hier Raum für die aktuelle, auch politisch gefärbte Improvisation blieb. Dafür bürgen allein Namen wie Fritz Grünbaum und Karl Farkas, die beste Brettl-Tradition in Wiener Revuen verpflanzten. In Berlin verfügten die Haller-Revuen in Kurt Lilien, Max Ehrlich und Paul Morgan über ihre 'Haus-Komiker' mit dem spezifischen trockenen Berliner Witz.

Die dramaturgische Aufgabe der Conférencen bestand darin, Einleitung und Übergang für ein Ausstattungsbild zu schaffen, etwa in der Form des Solos "Reiseerlebnisse" mit Paul Morgan in der Haller-Revue "Wann und Wo" (1927), als Einleitung zu einem Auftritt der Tiller-Girls im Bild "Das große Gepäck".[80]

Die Sketche der deutschsprachigen Ausstattungsrevuen waren zum überwiegenden Teil ausländischen Ursprungs, vor allem aus Londoner Revuen, da Pariser Sketche in ihren manchmal eindeutigen Zweideutigkeiten zu gewagt schienen[81]. Direktoren, Autoren und Regisseure der Berliner und Wiener Revuen begaben sich alljährlich in die Hauptstädte des Auslands, um dort neben Ausstattungsbildern auch Sketche zu erwerben. Die meisten Sketche waren harmlos witzig bis kalauerhaft und unpolitisch, mit einem leichtverständlichen Inhalt, der auf eine breitenwirksame Pointe abzielte. Da in großen Auditorien geistreiche Wortwitze schon von der Akustik her keine Durchschlagskraft besaßen, betonten die Sketche der Revuen äußerliche Situationskomik mit

80. Progr. Gastsp. Apollo-Th. Wien 1928, Thslg. ÖNB Wien.
81. Mündl. Mitteilung Hal Haller.

54

weithin sichtbarer Gebärdenpointe. So zog Kurt Lilien in einem Sketch der Haller-Revue "Schön und Schick" (1928) ein Mädchen aus dem Wasser: *Er quatscht mit ihr. Was ist sie? Telefonfräulein! Er packt sie und wirft sie ins Wasser zurück.*"[82]

Auf eine ebenso äußerliche wie szenische Pointe lief ein Sketch hinaus, der eines der unverwüstlichsten Urmuster dieses dramatischen Kurzgenres darstellen dürfte und unter verschiedenen Titeln und in mehreren Handlungsvariationen bis heute lebendig geblieben ist. In "Das Zimmer der Wahrheit"[83] fällt ein Teller oder ein Bild von der Wand, sobald eine Person eine Lüge ausspricht. Ähnlich in der Anlage ist der Sketch, in dem die Personen ungeniert das aussprechen, was sie von einander denken.[84] Hier wurden offiziell als normal angesehene Verhaltensweisen des gesellschaftlichen Umgangs in ihrer Scheinexistenz entlarvt und damit lächerlich gemacht.

Bekannte Komiker übernahmen neben den Conférencen auch Rollen in den Szenen der Rahmenhandlung und in den Sketchen. In Wien waren besonders die letzteren eine Domäne der sogenannten Jargonkomiker, die vom Böhmischen bis zum Jüdischen die Dialekte Österreichs und seiner ehemaligen Länder einbezogen. Zum Verständnis dieses Spezifikums der Wiener Revuen muß gesagt werden, daß inmitten der zahlreichen Dialekte, Akzente und Sprachfärbungen des ehemaligen habsburgischen Vielvölkerstaates das Jüdisch-Jiddische zum wertfreien Sprachreservoir von Witzen gehörte. Von daher ist den Sketchen und Szenen mit jüdischen Figuren in

82. Herbert Ihering, Berliner Börsen-Courier, 22.8.1928.
83. Charell "An Alle", Berlin 1924.
84. Haller "Wann und Wo", Berlin 1927.

den Revuen der zwanziger Jahre keine exzeptionelle Bedeutung zuzumessen. Nur im Nachhinein erscheinen einige Texte in der Karikierung angeblicher jüdischer Wesensmerkmale — möglicherweise unbeabsichtigt — bestehende antisemitische Vorurteile übernommen und in verharmlosender Weise bestätigt zu haben.[85]

Innerhalb der Aufbaustruktur der Revue nahmen instrumentale wie vokale Musik und der Tanz zwischen den Conférencen und Sketchen und den Ausstattungsbildern eine Sonderstellung ein. Anlage und Quellensituation der Arbeit bedingen es, daß hier keine strukturanalytischen Aussagen zur Revuemusik gemacht werden können, sondern nur funktionale, d.h. zu Stellenwert und Funktion der verwendeten musikalischen Formen[86]. Bei der Musik konnte einmal die Einlagefunktion vorherrschen, sowohl in der Art instrumentaler Zwischenaktmusik, die Überleitung und Einstimmung auf das folgende Bild zu schaffen hatte, als auch in der Form einer Gesangseinlage, die technische Umbaupausen und Kostümwechsel zu überbrücken half. Solcherart musikalische Intermezzi verfolgten darüber hinaus das psychologische Ziel, das Publikum zwischen den Ausstattungsmonstrositäten zu akustischem 'Atemschöpfen' kommen zu lassen. Besonders in den Nummernrevuen fanden sich gesangliche Solovorträge. Getreu dem Motto 'Für jeden etwas' engagierte man z.B. einen Opernsänger, dessen Popularität man werbewirksam einzubauen wußte.[87]

85. Z.B. "Apollo? Nur Apollo!" (1925), von Fritz Grünbaum u. Willi Sterk.
86. Siehe auch III, 2F.
87. Leo Slezak hatte in der Berliner Klein-Revue "Das hat die Welt nocht nicht geseh'n" (1924) folgende Auftrittsnummern: eine Ballade, Hildach-Lied, eine Arie aus Meyerbeers "Die Afrikanerin" in Kostüm. (Vgl. Vossische Ztg. Berlin, 1.9.1924).

Jede Ausstattungsrevue verfügte über eine Anzahl von Operettensängern. Sie sangen ihre Soli, traten in Szenen und Sketchen auf und zeigten sich in den Ausstattungsbildern als Ahnen der auch tanzenden Musicaldarsteller. Aus der Operette hatte die Revue mit den Handlungsklischees auch die Rollenfächer übernommen. Ein Tenorbuffo[88] gehörte wie die Diva und Tanzsoubrette zur Mehrzahl der Revueensembles.

Daneben repräsentierten Gesang und Tanz integrierte Bestandteile von Ausstattungsbildern. Vor allem erlangte das Tänzerische den höchsten Stellenwert unter den Strukturelementen der Revue. Die berühmten angloamerikanischen Girltruppen hatten einen großen Anteil daran, nachdem sie Anfang der zwanziger Jahre erstmals in deutschen Revuen auftraten, so die "Original Lawrence-Tiller-Girls" in den Haller-Revuen.[89] Die einheimischen Girls, zahlreicher als die meist 16 ausländischen, traten mehr in den Ausstattungsbildern und dort auch als sogenannte Figurantinnen in Erscheinung. In der Nachahmung internationaler Revuemuster erfolgte ebenfalls die Einbeziehung ausländischer Solotänzer, Tanzduos und artistischer Tanznummern. Diese Tanzsolisten, oft als Stars der Revue annonciert, zeigten häufig ihre sogenannten Originalszenen, d.h. ein Bild, das keine Verbindung mit dem speziellen Thema der jeweiligen Revue aufwies.

88. Als solcher wirkte Willi Forst u.a. in den Revuen mit: "Wissen Sie schon?", Berlin 1927 und "Chauffeur, ins Apollo!", Wien 1927.
89. Erstmals in "Noch und Noch", Berlin 1924. Um mit Haller konkurrieren zu können, engagierte Charell für seine Revue 1924 die "John-Tiller-Girls".

2. Funktionen ihrer Mittel

A. Titel

Wesen, Aussage und Funktion der Titel der Ausstattungsrevuen erschließen sich im Vergleich mit den Titeln der ausländischen Vorbilder und der deutschsprachigen Jahresrevuen. In letzteren klang der aktuelle Charakter ihres Inhalts an, das Revuepassieren jüngst vergangener Ereignisse, wenn etwa das "Metropoltheater" 1904 auf "Ein tolles Jahr" zurückblickte oder die Wiener "Femina" 1913 "Wien tanzt Tango" und 1914 "Hurra! Wir siegen!" proklamierte.

Die Titel der Berliner "Metropol"-Revuen nahmen in der Folge die austauschbaren, schlagwortartigen Parolen der späteren Ausstattungsrevuen vorweg: "Das muß man seh'n" (1907), "Hallo! Die große Revue!" (1909). In Anlehnung vor allem an Pariser Vorbilder trugen die deutschsprachigen Ausstattungsrevuen der zwanziger und dreißiger Jahre ähnlich plakative Titel, die über den Inhalt der jeweiligen Revue mit Ausnahme eines geographischen Hinweises wenig aussagten. Nach dem massenpsychologischen Gesichtspunkt der Werbung sollten sie sich eingängig wie ein Reklamespruch dem Zielkonsumenten einprägen. Von daher rührte die Vorliebe für Titel aus drei

Wörtern. "Variationen desselben kategorischen Ausstattungsimperativs" nannte Ludwig Hirschfeld[90] z.B. die Titel der Haller-Revuen. Suggestion sollte bereits durch den Titel bewirkt werden. Titel wie "Wann und Wo" (Haller, 1927), "An Alle" (Charell, 1924) und "Der, Die, Das" (Schwarz, 1925) waren so weit gefaßt, daß sie, schlagwortartig einprägsam, vom präsumtiven Zuschauer mit eigenen Inhalten ausgefüllt werden konnten, dadurch die Erwartungshaltung erhöhten und somit zu einem Besuch der Revue Anreiz gaben.

Ausgesprochen spekulativ-anreißerische Titel verwendeten, bezeichnend für Art und Inhalt, die Revuen James Kleins in Berlin. Mit frivolen Titeln sollte ein philiströses Publikum angelockt werden, wenn etwa verheißen wurde: "Berlin ohne Hemd" (1926) oder "Die Sünden der Welt" (1927). Nur wenige Titel von Ausstattungsrevuen erscheinen heute zeitdokumentarisch. "Die Welt geht unter" nannte sich eine Revue in den Wirren des Oktober 1918 im Berliner "Apollo-Theater", und einen Kommentar zum Höhepunkt der Inflation lieferte der Titel der Haller-Revue von 1923: "Drunter und Drüber". Hubert Marischkas Revue "Wien lacht wieder" entstand 1926 zum Zeitpunkt einer relativen Stabilisierung der politischen wie wirtschaftlichen Situation in Österreich.

90. Rez. "Wann und Wo", NFP Wien, 29.3. 1928.

B. Kult der Quantität

"La Revue" der Pariser "Folies-Bergère" umfaßte 1906 bereits 18 Bilder und 600 Kostüme[91], und 1928/29 erreichten die Hyperspektakel in Paris mit 80 Bildern, 500 Mitwirkenden und 1200 Kostümen[92] ihren Endpunkt an Quantität. In der Nachfolge der Pariser bemühten sich auch die deutschsprachigen Revuen um quantitative Rekorde an Bilderzahl, Mitwirkenden und Kostümen. Hatte Schwarz' frühe Revue "Wien gib acht" 1923 bescheiden mit 13 Bildern begonnen[93], so verhieß zur selben Zeit die Haller-Revue "Noch und Noch" bereits 50 Bilder. Solch erstaunlich hohe Bilderzahl wurde legal erzielt, indem Ausstattungsbilder in Einzelnummern unterteilt und Kürzestszenen als eigenständige Bilder gezählt wurden. Auf diese Weise erreichte Hallers "Achtung! Welle 505" 1925 die stolze Zahl von 57 Bildern. Dazu der Wiener Kritiker Ludwig Hirschfeld: *"Kein Papier, kein Stroh, es sind wirklich genau so viel. Aber manche dauern nur Bruchteile von Minuten. Wenn einer ruft: 'Portier, ein Auto!' — war schon ein Bild."*[94] Es ist selbstverständlich, daß die Bilderinflation und numerische Hypertrophie der Ausstattungsrevue zur Satire reizte: "Ich gehe in die Revue" von Ejac:[95]

91. Progr. Theaterslg. ÖNB Wien.
92. Palace-Th. "La Beauté de Paris".
93. Programmhefte, wie auch für die folgenden Beispiele, Thslg. ÖNB Wien.
94. Rez. NFP Wien, 6.4. 1926.
95. Vossische Ztg. Berlin, 30.8. 1924.

"36.726 1/2 Bilder, lese ich, soll die Revue lang sein . . . Um 2 Uhr nachmittags beginnen wir mit dem Packen . . . Um 9 Uhr beginnt es: 1. Bild: Ein Mann (erscheint auf der Bühne und sagt): Pst! (Geht wieder ab.) 2. Bild: 63.478 unangezogene Damen zeigen mit den Zehen nach links oben . . . 31. Bild: Eine Frau (kommt ausnahmsweise mit Partner, bekleidet, deklamiert): Psst! . . "

Ziel und Funktion dieser gigantomanischen Flut an Szenen, Personen und Ausstattungsmitteln lassen sich zu einem Teil daraus erklären, daß ein vergleichsweise naiver Zuschauer von Quantität, in welcher Erscheinungsform auch immer, beeindruckt wird. Zum Verständnis des Phänomens der Macht der Zahl liefert McLuhan ein Indiz, indem er die Zahl nicht nur als akustisch wie das gesprochene Wort ansieht, sondern auch als sinnlich erfahrbar und vorstellbar.[96] Wenn die Ausstattungsrevuen rekordträchtige materielle Begleiterscheinungen der theatralischen Produktion werbewirksam hervorhoben und als Hauptzweck erscheinen ließen, so sollte der Besucher von Leistung und Wert auch der immateriellen Teile des Gesamtunternehmens a priori überzeugt werden. Mit einer Steigerung der Quantität wurde eine quantitative und auch qualitative Maximierung der Unterhaltung suggeriert.

Zugleich schafft immenser materieller Aufwand beim Durchschnittszuschauer heute wie damals das schwer definierbare Gefühl, etwas für sein Eintrittsgeld zu erhalten, ein materielles, zeitliches Äquivalent, das sich an den Produktionskosten und der Aufführungsdauer als empirisch nachprüfbar erweist und keinen subjektiven Wertungskriterien einer elitären Ästhetik unterworfen ist. Ein Schlüssel zu diesem soziologischen Phänomen des

96. Vgl. Marshall McLuhan, Die magischen Kanäle, Ffm. 1970, S. 110ff.

'Etwas-Geboten-Bekommens' ist in einer gesellschaftlichen Realität zu suchen, in der materielle Quantität in Sozialprestige umschlägt. Somit assoziierte der Zuschauer die materielle Massierung in den Revuen mit qualitativen und eventuell ästhetischen Kriterien. Dieses sozio-psychologische Phänomen ist noch nicht näher untersucht und nur von einem subtil analysierenden zeitgenössischen Kritiker konstatiert worden:

> "Das sitzen die Leute . . . vier Stunden, fünf Stunden, sehen drei Dutzend Verwandlungen, Flitterkostüme, Flitterdekoration, . . . Schwärme von Girls, . . . haben Theater und Varieté zugleich, lachen, staunen, ermüden und haben, wenn der Rummel zu Ende ist, für das Geld doch 'etwas' gehabt. Dem einfachen Menschen bedeutet dieses 'etwas haben' recht lange im Theater sein zu können."[97]

C. Der Star

Wir müssen davon ausgehen, daß es in den Berliner und Wiener Revuen keine Stars gab, wie sie die Pariser Revuen in der Mistinguett, Josephine Baker und Maurice Chevalier besaßen. Von den einheimischen Stars der Operettenbühne füllte am ehesten Trude Hesterberg in Berlin diese Rolle aus.[98] Ansonsten übten international bekannte Tänzerinnen die primäre Starfunktion aus,

97. Rez. "Wien lacht wieder", f.s. [wohl Felix Salten; der Verf.] NFP Wien, 5.10. 1926.
98. In den Haller-Revuen "An und Aus" (1926) u. "Wann und Wo" (1927). Weitere Operettendiven in Revuen: Rita Georg in der Marischka-Revue "Wien lacht wieder" (1926), Alice Hechy in Schwarz' "Wien gib acht" (1923).

resultierend aus der Beobachtung, daß ein echtes oder vorgebliches internationales Renommee die qualitative Einschätzung beim deutschen Zuschauer positiv präjudizierte. Die großen Revuen, die mehr und mehr Artistennummern in ihre Bilderfolgen einbezogen, setzten auf die Zugkraft eines wenigstens dem Namen nach ausländischen Tanzstars, der in Soloszenen brillieren konnte und in Ausstattungsfinali als von Kostümpracht überflutete Diva die imaginäre Huldigung der Statistenmassen entgegennehmen durfte.

Der Star war Anlaß und Ziel allen Spektakels, um ihn gruppierten sich die übrigen Nummern als notwendige Zugaben. Das Wesen des Stars ist nicht seine Leistung, sondern die Existenzvermittlung im Star-Sein[99], d.h., seine Wirkung beruht im wesentlichen auf seiner Persönlichkeitsausstrahlung. Das Phänomen des Stars kennt das Theater nicht erst seit der Revue. Das Varieté schmückte sich mit ihm und an das grassierende Starsystem im 19. Jahrhundert, das in Sarah Bernhardt und Eleonora Duse kulminierte, sei erinnert. In der Ausstattungsrevue wurde der Star, mehr noch als in der Operette, zum Produkt einer Traumwelt, womit er der Rolle des Filmstars entsprach.

Die amerikanischen Filmgesellschaften hatten das Starsystem eingeführt, wobei als bezeichnendstes Phänomen für den Starkult die Identifikation der Rolle mit ihrem Darsteller durch den Zuschauer anzusehen ist.[100] Im Unterschied zum Film war diese Funktion für den Revuestar weniger signifikant, da er, meist in der Person einer Sängerin oder Tänzerin, der dramaturgischen Form der

99. Vgl. Hellmuth Karasek, Die letzten Stars. In: Zeitmagazin, Nr. 27, 1971, S. 2.
100. Vgl. Enno Patalos, Stars, Ffm./Hambg. 1967.

Revue entsprechend keine durchgehende Rolle verkörperte. In den Revuen erfolgte die Identifikation des Zuschauers mit dem nur sich selbst darstellenden Star, der Mittel zu dem einen Zweck war: seine Star-Existenz zur Schau zu stellen.

Für die anonyme, vieltausendköpfige Zuschauermenge bedeutete der Star die Möglichkeit einer stellvertretenden Über-Individualisierung, zugleich einer Identifikation in realitätsfernen Wunschszenerien. Wenn inmitten des Balletts und einer großen Statistenschar der weibliche Star in luxuriösen Kostümen als Mittelpunkt der Schau und Objekt allen Schauens Glanz ausstrahlte, so lag es für den emotional bestimmten Zuschauer nahe, sich in das Idol des Stars hineinzuprojizieren, der alles das verkörperte, dem der Durchschnittsmensch entsagen mußte: ausgeprägte Individualität, absolute Schönheit und Jugend, Reichtum und Luxus: Fetische einer auf Aktivität und Leistung im Äußerlichen ausgerichteten Gesellschaft.

Da physische und materielle Qualitäten sich eher an einer Frau zeigen lassen, war der weibliche Star in der Ausstattungsrevue dominierend. Dazu trug bei, daß die Frau in einer noch patriarchalisch strukturierten Gesellschaft als Lustobjekt in allen sensuellen Bedeutungen gilt und bis zur Puppe denaturiert werden kann. Dies geschah im Extremen in der Revue, in der der weibliche Star als Träger sinnlicher Ausstrahlung zum Zweck erotischer Stimulation und damit dem Pin-Up-Girl der vierziger und fünziger Jahre ähnlich verwendet wurde.

Die zwanziger Jahre als feminin orientierte Periode reproduzierten auf Bühne und Leinwand einen betont weiblichen Startyp. Er vereinigte Züge des Starideals der Jahre vor 1918, der "femme fatale", mit deren Nachfolgerin, der emanzipierten, mondänen Dame von Welt, vermischt mit dem Typ des Vamps, der Inkarnation des verruchten Weibes. In der phantastischen Irrealität der Ausstattungsrevue wurde der Star zum Traumobjekt des Mannes und zum Wunschbild der Frau im Auditorium.

D. Die Girls

Das Auftreten der Girls stellte einen festen Programmpunkt in einer Revue dar. Die nur im Kollektiv existenten Balletteusen[101] bildeten einen der unentbehrlichsten personellen Bestandteile jeder Revue. Als Spezifikum hatte sich der Girltanz in den amerikanischen Revuen entwickelt, als Florenz Ziegfeld und sein Regisseur Julian Mitchell ihn zur Attraktion der "Follies" in New York machten[102], indem sie den Typ der sportlichen Tänzerin kreierten. Das Neuartige bestand darin, daß eine Gruppe von Tänzerinnen, meist über ein Dutzend wie die 16 Tiller-Girls, ein "Ballett mit bewußter Betonung der Präzision der Bewegungen, des Rhythmisch-Gymnastischen"[103] ausführte. Der Akzent lag auf der exakten Beinarbeit der in Größe, Wuchs und Haarfarbe möglichst ähnlichen Tänzerinnen.

101. Alfred Polgar: "Girls sind ein sogenanntes 'plurale tantum' . . . Ein Girl gibt es nicht . . . Erst wenn sie ein Wesen mit vierundzwanzig Beinen geworden sind, führen sie den Namen zu Recht." In: Progr. "Alles aus Liebe", Wien 1927, Thslg. ÖNB Wien.
102. Vgl. Robert Baral, Revue; A Nostalgic Reprise of the Great Broadway Period, New York 1962, S. 33ff.
103. Riemann Musiklexikon, Sachteil, 12. Aufl., Mainz 1967, Stichwort Revue.

Entstehung und Erfolg der Girls sind ein Zeitphänomen. Bis zum ersten Weltkrieg hatte die Varietétänzerin das sinnlich-erotische Element auf der Bühne verkörpert, zumal sie häufig pseudoklassische Schönheitsposen als Vorwand zu schwülen Posen für Philister benutzte. In den bereits erwähnten amerikanischen Extravaganzas waren weibliche — freilich trikotverhüllte — Reize als Erfolgsrezept angewandt worden.[104] Eine frühe Truppe der Tiller-Girls hatte zwischen 1896 und 1898 in Herman Hallers Berliner "Olympia Riesentheater" gastiert.[105] Nach dem ersten Weltkrieg begann von den USA aus das Ideal der sportiven Frau Europa zu erobern: erster äußerlicher Ansatz zur Emanzipation der Frau als gegenwartsbewußte Partnerin des Mannes in einer zunehmend technisierten Welt. Moraltabus blieben ebenso auf der Strecke wie ehemalige Heimchenromantik, ein Vorgang, als dessen äußere Begleiterscheinungen Moden wie Charleston-Kleid und Bubikopf-Frisur anzusehen sind.

Und nicht zuletzt wurzelt das Phänomen der Girls in der Körperkulturbewegung, die ebenfalls in den USA ihren Anfang nahm. Aus der bewußten Körperlichkeit entstand ein neuer Fetisch: Jugend, der seine Inkarnation im strahlend jungen und gesunden Girl fand. Was die angloamerikanischen Girltruppen von ihren europäischen Nachahmungen unterschied, war ihre maschinengleiche Präzision, ein mechanisches Funktionieren des Körpers im Rhythmus der Musik. Technisierung der Umwelt und neues Frauen- und Schönheitsideal fanden hier Synthese und Ausdruck.

104. Vgl. Gatzke, a.a.O., S. 33 u. 41ff.
105. Schriftl. Mitteilung Hal Haller.

Die Parallelen zwischen Girltanz und der zunehmende Verbreitung findenden Körperkultur sind nicht allein historische. Siegfried Kracauer bezeichnet als Träger der ornamentalen Gruppierungen, wie sie die Grils boten, die entindividualisierte Masse.[106] Das zum Selbstzweck werdende Ornament spiegelte die geistige Gesamtsituation der Zeit, indem es als entseeltes Massenornament die Mechanisierung und Entindividualisierung des Einzelmenschen in einer entfremdeten Welt reflektierte.

Rationale Technik prägte den Tanz der Girls, als dessen Antipode das irrational-exzessive Tanzen schwarzer Künstler wie Josephine Baker oder Louis Douglas gelten konnte. Die Girls boten rekordsüchtige, maximale Leistung, was ihren Erfolg in einer leistungsorientierten Gesellschaft erklärlich macht. In den geometrischen Formationen des mechanisierten Girltanzes aber war die "rationale Leerform des Kults"[107] erhalten geblieben.

E. Nacktszenen

"Multipliziert man eine nackte Frau mit fünfzig, so ist die Haupthandlung bereits da."[108] Dieses pointierte Aperçu weist auf die allgemeine Verbreitung und Bedeutung des Nacktauftritts in den Ausstattungsrevuen

106. Vgl. Siegfried Kracauer, Das Ornament der Masse, Ffm. 1963, S. 50ff.
107. Kracauer, a.a.O., S. 61.
108. Siegfried Geyer, Kl. Bemerkungen zum Thema Revue. In: Die Bühne, Jg. 5 (1928), H. 202, S. 7.

hin. Besonders gebräuchlich wurde er in Verbindung oder als Anlaß eines Tanzbildes; nicht zu verwechseln ist er aber mit seiner Entwicklungsform, dem Striptease.

Das Phänomen der Nacktheit auf der Bühne war nicht erst in den Zwanzigern zu beobachten, obwohl Nudität sich in diesem Zeitraum zu einer Mode entwickelte. Vorbereitet wurde der Nacktauftritt als sogenanntes lebendes Bild, das um die Jahrhundertwende von Frankreich aus die Varietés erobert hatte. Ein solches als "stumme und unbewegliche theatralische Szene"[109] zu definierendes Bild wurde meist in einer Gruppe zusammengefaßt und hatte allegorische, mythologische oder historische Themen zum Inhalt. Im Varieté zu Ende des 19. Jahrhunderts war ein Nebentyp besonders beliebt, die sogenannte "Pose plastique", eine Solo- oder Gruppenpose nach einem Gemälde oder einer antiken Plastik. Sie gab vor, eine ästhetische Wirkung zu erzielen, indem sie Harmonien reproduzieren wollte.[110] Zugleich boten diese lebend gestellten Reproduktionen den willkommenen Anlaß, Damen in möglichster Hüllenlosigkeit zu zeigen, um der Ästhetik des Originals zu entsprechen.

An die Tradition der lebenden Bilder schlossen die statuarischen Nacktszenen in Deutschland, Österreich und Englang an, wo anfänglich nur trikotverhüllte erotische Spekulation erlaubt wurde.[111] Ähnlich wie beim Girl handelt es sich auch bei den Nacktszenen um ein historisch

109. Enciclopedia dello Spettacolo, a.a.O., Stichwort Quadro Vivente.
110. Vgl. auch Kirsten Gram-Holmström, Monodrama, Attitudes, Tableaux Vivants, Stockholm 1970.
111. In Paris war 1912 zum ersten Male eine unbekleidete Tänzerin in den "Folies-Bergère" aufgetreten. Vgl. Jacques Chastenet, La Belle Epoque, Paris 1951, S. 91.

und sozialpsychologisch motiviertes Phänomen. Der Einfluß des Sports und der erwähnten Körperkulturbewegung war auch hier relevant. Daneben muß das Entblößen des halben oder ganzen weiblichen Körpers im Kontext der Nachkriegsmoral verstanden werden. Durch den ersten Weltkrieg und die nachfolgenden politischen wie wirtschaftlichen Wirren war das gesamte Wertsystem der ehemals vorherrschenden bürgerlichen Moral ins Wanken geraten. Mit dem verlogenen Patriotismus hatten sich auch andere Werte desavouiert; jedenfalls wurden sie in Frage gestellt. So muß die teilweise demonstrative Nacktheit als eine eruptive Reaktion auf die Prüderie der wilhelminischen Scheinmoral angesehen werden, zugleich als ein Ventil der psychischen Depression des Krieges. *"Eine Gegenwart, die keine Illusionen hat, nimmt auch den Frauenkörper ohne Verschleierung als öffentliches Schaustück an. So ist es immer gewesen in allen Zeiten der Revolution oder der gesellschaftlichen Umwühlung."*[112]

Die Ventilfunktion des Tanzes, der Mode, der Libertinage beeinflußte das von der Zensur befreite Theater und besonders die Ausstattungsrevue. Dies hilft die epidemische Verbreitung zu erklären, die die Nudität zu Anfang der Zwanziger in der Revue fand. Auf der einen Seite glaubte man rationalistisch Tabus beseitigt zu haben, die in Wirklichkeit weiterbestanden, so daß sie zum Objekt einer offenkundigen Spekulation in der Revue werden konnten. Man trat in der Rolle von Apologeten der Körperkultur auf, die die Nacktheit auf der Bühne als progressiven Beitrag zur sich wandelnden Einstellung dem Körper gegenüber interpretiert sehen woll-

112. Felix Salten, Feuilleton "Wien gib acht", NFP Wien, 10.2. 1924.

ten. Daneben hoffte man latente Voyeurinstinkte anzusprechen, die durch Ersatz- und Augenerotik hervorgerufen werden.

Zu Beginn der zwanziger Jahre wandelte sich die Revue, dieses "illegitime Musenkind"[113], in der Ausstattungsrevue zur "nackten Muse"[114]. Die ersten Revuen der Brüder Schwarz in Wien und von James Klein in Berlin hatten mit Nacktszenen einen Anfang gemacht. Am Beispiel der Schwarz-Revue "Wien gib acht" (1923) lassen sich zwei Formen als repräsentativ unterscheiden: 1. Statuarische Posen von bis zur Hüfte entkleideten weiblichen Stars und Figurantinnen; 2. Schönheitstänze nach Motiven der klassischen bildenden Kunst oder allegorischen Themen. Diese Auftritte waren auf Solo- bzw. Duotanzszenen beschränkt. Dabei ist zu berücksichtigen, daß Nacktszenen über wenige Mitwirkende hinaus auch in den zwanziger Jahren lediglich als statuarische Posen erlaubt waren. An Zahl und geschmackloser Darbietungsart unübertroffen geschah dies in den Revuen der "Komischen Oper" Berlin unter James Klein. Spezifikum dieser Revuen war die gehäufte Nacktheit auf der Bühne. Thematisch wurde sie z.B. als lebende Figuren auf einem Porzellanteller motiviert[115] oder als Blütenjungfrauen auf einem römischen Reiterwagen.[116] Kleins "Fleischschaurevuen"[117] griffen in den ersten Nachkriegsjahren einen Aspekt der sich wandelnden Moralvorstellungen auf und spekulierten darauf in derb

113. Reż. "Das hat die Welt noch nicht geseh'n", Vossische Ztg. Berlin, 1.9.1924.
114. Berliner Theaterbrief, Wiener Allg. Zeitung, 8.10.1924.
115. "Europa spricht davon" (1922).
116. Foto in: Herbert Pfeiffer, Berlin — zwanziger Jahre, Berlin 1961, S. 56.
117. Fritz Giese, Die Girlkultur, München 1923, S. 118.

sinnlicher Darstellungsweise. Aber "*die Servierung von Fleischmassen hat mit Kunst nicht das geringste zu tun, auch wenn X.X. eigens nach Paris gefahren ist, um, wie ein guter Kellner, dort das Servieren zu lernen . . . So wie man im Kriege mit Suppenwürfeln handelte, so handelte man im Frieden mit hunderten von Frauenschenkeln, Frauenbrüsten . . .*"[118] Während die Pariser Revuen eine raffinierte Nacktheit mit erotischer Pikanterie kultivierten, erinnerten ähnliche Auftritte in einigen deutschen Revuen in ihrer plumpen Direktheit an "landwirtschaftliche Ausstellungen — oder aber es waren Wandervogeltypen".[119] Um 1927/28, mit den Anzeichen einer allgemeinen Revuemüdigkeit des Publikums, machte sich ebenfalls eine Rezession der Nacktszenen bemerkbar.

Die Frage nach der Funktion des Nackten in der Revue ist nur von der möglichen Wirkung auf den einzelnen Zuschauer und dessen bestehender Erwartungshaltung aus zu beantworten. Nacktszenen konnten in den Revuen wertfreie Mittel darstellen, wie sie daneben von einigen Produzenten bewußt spekulativ eingesetzt wurden. Freilich konnte die Darbietung eine Wirkungstendenz erleichtern, ob verkrampft-schwüle Sinnlichkeit erstrebt wurde oder natürlicher Eros, personifiziert etwa in Josephine Baker.

118. Stefan Großmann, Inszenierung der Nacktheit. In: Progr. "Für Dich", Berlin 1925.
119. Giese, a.a.O., S. 118.

F. Musik

In den Ausstattungsrevuen Berliner und Wiener Provenienz stammte die verwendete Musik aus zwei Bereichen: 1. aus einer Zusammenstellung aktueller in- und ausländischer Schlager verschiedener Komponisten, 2. aus einer eigens für die jeweilige Revue erstellten Partitur. Dabei ist auffallend, daß sich das französische Vorbild, nämlich die Zusammenstellung erfolgreicher Musiknummern, in den deutschsprachigen Revuen der frühen Zwanziger nicht völlig durchsetzen konnte. Nur James Klein in Berlin benutzte das bequeme Mittel einer Musikkompilation von Anfang an. Die in Wien als erste gezeigten Revuen der Brüder Schwarz[120] verzeichneten im Gegensatz zu ihren Nachfolgern die musikalische Handschrift eines eigens herangezogenen Komponisten, nämlich die Fritz Lehners. Und es mag auf die Tradition der Operette zurückzuführen sein, daß ein Operettenlibrettist und Theaterdirektor wie Herman Haller seinen musikalischen Kompagnon Walter Kollo auch mit der Vertonung eigener Revuen betraute.[121]

Der Revuekomponist sah sich vor die Aufgabe gestellt, sowohl eine Untermalungs- gleich Illustrationsmusik und Überleitungen für die einzelnen Nummern wie im Varieté zu schreiben, als auch Melodien und Tanzschlager in den aktuellen Rhythmen zu verfassen, die

120. "Wien gib acht" (1923), "Alles per Radio" (1924).
121. Ausnahme: "Schön und Schick" (1928), Musik v. Siegwart Ehrlich u.a.

Ausgangspunkt von Ausstattungsbildern wurden. Daß diese doppelte, funktionsgebundene kompositorische Aufgabe wenig eigenständige Ergebnisse erzielte, mag nicht verwundern. So wurde Walter Kollo ironisch als einer der angenehmsten Revuekomponisten bezeichnet: *"Schon beim ersten Hören glaubt man ein Da capo zu vernehmen."*[122] Und Ludwig Hirschfeld schrieb über Kollos Kompositionen folgende, wohl für die meisten Revuemusiken charakteristischen Zeilen: *"Der Berliner Schlagermann hat eine Art Reichstunke komponiert, die begleitend mitläuft. Wahrscheinlich gehört das auch zu den Sensationen, daß man ohne nennenswerten Einfall vier Stunden lang Musik machen kann."*[123] Aber die Untugend einer wenig profilierten Begleitmusik konnte ein Positivum besitzen: *"Walter Kollo weiß, daß Komponieren Zusammenstellen heißt. Seine Phantasie lebt sich im Raffinement der Instrumentation aus."*[124] Wie gedankenlos bekannte Melodien zu Gebrauchsmusik umfunktioniert werden konnten, zeigt ein Beispiel aus "An und Aus" (1926), in der Franz Schuberts "Leise flehen meine Lieder" als musikalischer Hintergrund für eine Akrobatennummer mißbraucht wurde.[125]

Der zweite Komponist, der neben der Operette die Revue pflegte, war Ralph Benatzky. Er schrieb die Musik zu der Charell-Revue "Für Dich" (1925) und zu den Marischka-Revuen "Wien lacht wieder" (1926) und "Alles aus Liebe" (1927). Dem Presseecho zufolge schuf er revuegerechtere Musik, sowohl was die "Bindemittel der

122. Sling, Rez. "Drunter und Drüber", Vossische Ztg. Berlin, 8.8.1923.
123. Rez. "Achtung! Welle 505", NFP Wien, 6.4.1926.
124. Rez. "Wann und Wo", Vossische Ztg. Berlin, 4.9.1927.
125. Vgl. Rez. Illustr. Wiener Extrablatt, 2.10.1927.

locker gebundenen Szenen"[126] als auch die unumgänglichen Schlagernummern betraf: *"Obwohl es sich hier um leichte Musik handelt, hat Benatzky . . . mit künstlerischer Gewissenhaftigkeit gearbeitet, so daß das Anhören der kleinsten Verbindungsmusik und Stimmungsmalerei auch für das anspruchsvollste Ohr ein wirkliches Vergnügen ist."*[127]

Den Erfolg oder Mißerfolg einer Revue bestimmte zwar in erster Linie der visuelle Effekt, dennoch darf der indirekte Einfluß des integrierten musikalischen Teils nicht unterschätzt werden. Besonders der Schlager bildete einen wesentlichen Bestandteil jeder Revue. Wenigstens ein Musikstück mußte die Merkmale und Eigenschaften des trivialen Gassenhauers, des eingängigen 'Ohrwurms' aufweisen, um die Attraktivität einer Revue zu erhöhen. Vor allem war der Schlager in der Revue ein Tanzschlager, geprägt von den in den Zwanzigern neuen Rhythmen des amerikanischen Jazz und den von ihnen beeinflußten Modetänzen.

Die Revue nahm, von Amerika ausgehend, als erste musiktheatralische Gattung den in New Orleans entstandenen Jazz in ihr musikalisches Repertoire auf und transformierte ihn in orchestrale Jazzformen, die den Swing der dreißiger Jahre einleiteten. Das Theaterorchester alten Stils firmierte nun als "Jazz-Symphonie-Orchester".[128] Häufig trat obendrein eine eigene Jazz-Band auf[129], die dem Jazzfieber des Publikums entsprach. Als die Jazz- und Tanzmode zur Sucht wurde,

126. Rez. "Alles aus Liebe", Neues Wiener Journal, 2.10.1927.
127. Ludwig Hirschfeld, Rez. "Alles aus Liebe", NFP Wien, 2.10.1927.
128. In den Haller-Revuen "An und Aus", "Wann und Wo".
129. Z.B. Paul-Godwin-Band, Haller-Revue "An und Aus".

machte die Revue sich diesen Umstand zunutze. Sie übernahm in ihre Musik Tänze wie Charleston, Shimmy, Boston und Black Bottom. *"In ihren kurzen Rhythmen komprimieren sie die ganze Fülle . . . der Natur und wirken darum gewissermaßen mit Umgehung des Hirns direkt auf unser Blut und unsere Nerven!"*[130]

Die soziale Funktion des Schlagers in der Revue ist mit der des bereits erwähnten Stars vergleichbar: Gab die Diva die Möglichkeit zur optischen Identifikation, so boten und bieten die Schlager emotionale Identifikation. Sie belieferten den Zuschauer, der des Ausdrucks seiner Gefühle und Erfahrungen nicht mächtig war, mit Emotionsmustern, die als solche entweder Gefühle kanalisierten oder "stellvertretend die Sehnsucht nach solchen" erfüllten.[131] Dabei war die Revuemusik meist klischeehaft und richtete sich als akustisches Nebenbei zu optischen Vorgängen — und damit als nicht autonom — an das Unterbewußte.

Die angesprochene emotional stimulierende und zur Identifikation verleitende Funktion der Musik verwendete die Revue in Tanz- und Ausstattungsbildern. Die Musik sollte Darstellung bzw. Tanz, Dekoration und Beleuchtung zu einem rational kaum mehr kontrollierbaren Gesamteindruck verstärken, der die generelle Illusionierung des Zuschauers perfektionierte.

130. Hugo Spiel, "Valencia" oder Gedanken zur Musik, Ästhetik u. Psychologie der mod. Tänze. In: Die Bühne, Jg. 3, H.100, S. 32.
131. Th. W. Adorno, Leichte Musik. In: Einleitung in d. Musiksoziologie, Ges. Schriften Bd. 14, Ffm. 1973, S. 205.

G. Ausstattung

a. Kostüme

Der beabsichtigten Maximierung sinnlicher Effekte entsprach der Primat der szenischen wie kostümlichen Ausstattung einer Revue. Die Bühnen in Berlin und Wien übernahmen entweder komplette Bilder aus Pariser, Londoner oder New Yorker Revuen, oder man beauftragte bekannte ausländische Kostüm- und Bühnenbildner mit Entwürfen für eine vorhandene Bildidee, wobei die Ausführung von einheimischen Ateliers übernommen wurde. Charles Gesmar, Marco Montedoro, Max Weldy und Zamorra sind als einige der berühmtesten Pariser Kostümbildner zu nennen, deren Kreationen in der Mehrzahl der deutschen und österreichischen Revuen auftauchten. In Anlehnung an ihren mondän-opulenten Stil schufen deutsche Künstler wie Emil Pirchan, Ludwig Kainer und Josef Fenneker Kostüme und Dekorationen für die Haller-Revuen. Max Reinhardts Ausstatter Ernst Stern und Walter Trier tendierten in den Charell-Revuen mehr zum folkloristischen Revuekostüm. An den Wiener Revuen waren als Kostümiers Alfred Kunz und Lilian, Hubert Marischkas Gattin, beteiligt. Frau Gerdago wurde in den Dreißigern zur Hausausstatterin der "Femina"-Revuen.

Ein Name aber muß in diesem Zusammenhang herausgestellt werden: Ladislaus Czettel. Der gebürtige Ungar, Spezialist des sogenannten Modekostüms, zeigte in seinen zu extremem Manierismus und ästhetizistischer Stilisierung neigenden Kreationen die deutlichste Verwandtschaft mit den Pariser Kostümschöpfern wie auch eigenständige künstlerische Phantasie.

In den extrem aufwendigen Kostümen der Revue wurden aktuelle Modetendenzen mit Rückgriffen auf historische Kostümformen verschmolzen. Modischen Richtlinien war vor allem das elegante Abendkleid, etwa für den Star, unterworfen, wobei oft die Themen der Ausstattungsbilder das zu verwendende kostbare Material bestimmten: Samt, Seide, Brokat, Spitze, Federn, Strass, Pailletten. Der Akzentuierung des Individuellen des Stars entsprechend mußte dessen Kostüm die Funktion der Überhöhung äußerlich leisten. So trug der weibliche Star eine Art Modell-Haute Couture in Extremform.

Der Materialluxus für Kostüme kulminierte in echten Federn. Folglich präsentierte sich der weibliche Revuestar vor allem in verschwenderisch kostbaren Federkostümen. 250 echte Paradiesreiher bildeten das teure Nichts an Kostüm für eine "Paradiesvogel"-Szene in der Haller-Revue "Achtung"! Welle 505" (1925).

"Revuen waren nicht nur Entkleidungs-, sondern auch Kleidervorführungen."[132] Adorno weist auf den Zusammenhang von Operette und Revue mit der ökonomischen Sphäre des Warenverkehrs hin, genauer mit der der Konfektionsbranche. Diese bildete einen Teil der realen Basis für jene Gattungen der angeblich leichten Muse, die in der Vorführung von Kleiderluxus Inhalte der herrschenden Wirtschaftsform vermittelten.

132. Adorno, a.a.O., S. 201.

Das Phänomen maximalen Aufwands für die kostümliche Ausstattung gerade des Stars läßt noch einmal auf den erwähnten Kult der Zahl zurückkommen. Wie eine Anhäufung von Bildern und Mitwirkenden Qualität suggerieren sollte, so entspricht die Forderung nach Kostbarkeit des Materials, nach hohen Herstellungskosten infolge Handarbeit, der allgemein akzeptierten Konvention, daß billige Kleidung minderwertig und vor allem unschön sei. Dagegen steige mit der Kostspieligkeit sowohl der materielle als auch der ästhetische Wert.[133] Gleichzeitig ist der Konsum an Kleidung dem "Gesetz der demonstrativen Verschwendung"[134] unterworfen, was besagen will, daß Modewechsel und Kleidungsluxus von der Oberschicht als Möglichkeiten zu finanzieller Demonstration benutzt werden. Wenn die Revue dieses sogenannte Gesetz extrem befolgte, so auch aus dem Grunde, daß sie sich mit der Präsentation unmotivierten Luxusses in den Bereich höheren sozialen Wertes stellen wollte, in Übereinstimmung mit dem beabsichtigten Illusionierungsziel, das eine Traumwelt aus Luxus und Schönheit erzeugen wollte. Denn nicht allein die Schmuckfunktion mit primärem Schauwert bestimmte die Themen und Motive der Ausstattungsbilder, die vorzugsweise Luxus- und Genußartikel, Delikatessen, Schmuck, Pelze, Mode, Folklore und Exotik in Darstellungen und Personifizierungen einem Publikum vorstellten, das die Wirklichkeit für einen Theaterabend vergessen wollte.[135]

Im Unterschied zu den Girls, bei denen tänzerische Aufgaben dominierten, dienten die Figurantinnen in erster Linie der Schaustellung aufwendiger Kostümmon-

133. Vgl. Thorstein Veblen, Theorie der feinen Leute, München 1971, S. 127ff.
134. Veblen, a.a.O., S. 137.
135. Vgl. III, 4b.

strosität. Als Personifizierungen der Bilderthemen be-
saß wenigstens ein Teil ihrer Kostüme spezielle Signal-
funktion. Ein allgemein bekanntes Charakteristikum des
Darzustellenden wurde dazu in Form einer überdimen-
sionalen Applikation herangezogen. Besonders das so zu
nennende Architektur-Kostüm benutzte plastische Kopf-
und Hüftaufbauten als Modellnachbildungen architekto-
nischer Wahrzeichen. In der Marischka-Revue "Alles aus
Liebe" (1927) wurde Wien u.a. mit Stephansdom und
Parlament in Personifizierungen von Figurantinnen dargestellt, in deren Reifröcke plastische Aufbauten einge-
arbeitet waren.

b. Dekoration

Für die allgemeine Gestaltung des Bühnenbildes war
neben oft unzureichenden räumlichen und technischen
Verhältnissen die rasche Umbaumöglichkeit für eine
Vielzahl von Bildern bestimmend. Da die Drehbühne
noch keine allgemeine Verbreitung gefunden hatte, bestand die Dekoration selbst für Ausstattungsbilder meist
aus einer konventionellen Kulissenbühne mit bemalten
Seitenkulissen, Hintergrundprospekt, Soffitten und wenigen praktikablen Versatzstücken.[136] Zweier szenischer
Elemente aber entbehrte keine Revue: der Vorhänge und
der Treppe.

136. Aufgrund der Quellenlage bleibt die Frage nach der dekora-
    tiven Ausgestaltung der Ausstattungsrevuen nahezu unbeant-
    wortet. Sekundärinformationen wie Fotos dienen in diesem
    Falle dazu, aufgezeigte Einzelerscheinungen induktiv zu pro-
    jizieren.

Die technischen Voraussetzungen der meisten Revuetheater schlossen eine Verwendung komplizierter Deko-
rationsaufbauten aus. Da zudem ein sehr aufwendiges
Bühnenbild keine Kontrastwirkung zu den luxuriösen
Kostümen erzielt hätte, verwendete man für zahlreiche
Ausstattungsbilder lediglich Hintergrundvorhänge, die
selbst bei umbaubedingter Anbringung in der ersten oder
zweiten Gasse eine Tiefenillusion erzeugten, aber keinen
Improvisationscharakter besaßen. Denn dazu waren sie
an Material und Verarbeitung zu kostbar. So zeugten sie
ebenso wie die Kostüme von demonstrativem Ver-
schwendungswillen.

Die Primärfunktion der Vorhänge bestand darin, die
visuelle Prachtentfaltung zu erhöhen, unterstützt durch
die Kostbarkeit des Materials. Nach Pariser Muster führte
Herman Haller in "Achtung! Welle 505" (1925) eine
größtenteils aus kostbarsten Vorhängen bestehende Dekoration ein. Als Materialien dienten Goldspitze und wei-
ßer und schwarzer Pelz. Hallers "An und Aus" (1926)
zeigte die Tänzerin La Jana vor einem mit über 500.000
Goldpailletten besticktem Vorhang.[137] Und für das "Ori-
ginalbild der Komischen Oper" Berlin, "Die Pracht der
Pelze", in der James-Klein-Revue "Von A–Z" (1925)
schuf Erté als Rahmen zu verschwenderischen Pelzkostü-
men einen Vorhang aus Chinchilla.[138]

Das szenische Requisit Treppe, in der Ausstattungsrevue aus technischen Erwägungen heraus eingeführt,
diente sehr bald der Steigerung der emotionellen Wirkung des Stars. Wie die Revue selbst, so stammt auch eines ihrer wesentlichsten technischen wie psychologischen

137. Programmheft.
138. Programmheft.

Hilfsmittel aus Paris. Da die Bühnen der dortigen Revuetheater aufgrund ihrer ehemaligen Bestimmung als Varietés in der Tiefe meist relativ begrenzt waren, gebrauchte
man Treppen, um Raumtiefe vorzutäuschen.[139] Als Erfinder der Treppe auch als Auftrittsort von Stars und
Girls wird der Regisseur, Revueautor und "Folies-
Bergère"-Direktor Jaques-Charles genannt.[140]

Die Treppe konnte in der Ausstattungsrevue im hinte-
ren Bühnenteil der Ort für Auftritt und Gruppierung
von Stars und Girls sein, außerdem als weniger hohe
Treppe in Portalbreite Aktionspodium der Girlparade.
Die Präzision der Stufenfolge auf gerader oder geschwun-
gener, einarmiger oder doppelläufiger Treppe entsprach
dem stereotypen Schrittmaß der Girltruppen, auf deren
rhythmischen Beinmechanismus sich der Gleichtakt der
Stufen übertrug.

Daß die Treppe in der Revue der Steigerung des
szenischen wie des emotionalen Effekts dienen sollte,
läßt sich auf ihre historische Funktion zurückführen. In
der feudalen Architektur vom Barock bis zum Historis-
mus nimmt die Treppe in der Form der sogenannten
Herrschafts- oder Feststiege eine bedeutende Stellung ein:
als Dokumentierung autokratischer Macht und elitärer
Position: *"Die Erhöhung des Standpunktes erhöht auch
die psychologische Bedeutung . . . Das Verlangen nach
Repräsentation verbindet sich mit dem Drang zur Schaustellung, dem die Treppe Vorschub leistet."*[141]

139. Vgl. Baral, a.a.O., S. 243ff.
140. Vgl. Guy de Cars, Vorwort zu: Jacques-Charles, a.a.O., o.S.
141. Friedrich Mielke, Die Geschichte d. dt. Treppen, Berl./Mün-
     chen 1966, S. 131.

In der Ausstattungsrevue war der eigentliche Zweck der Treppe, einen gegebenen Höhenunterschied zu überwinden, nicht mehr vorhanden. Dafür wurden Repräsentation und psychologische Effektsteigerung Hauptaufgaben der Treppe. Der Star, der bezeichnenderweise in der Regel die Treppe göttergleich von oben hinabschwebte, erfuhr eine Überhöhung und Individualisierung.

3. Themen

A. Lokales:
Das Klischee als Inhaltsstereotyp

Da das Wort in der Ausstattungsrevue wegen der Dominanz von Bild und Musik von geringerer Bedeutung war, müssen auch die Ausstattungsbilder in ihrer Themenstellung berücksichtigt werden. In den so zu nennenden Lokalszenen, die in fast jeder Ausstattungsrevue zu finden waren, wurde direkt-verbale und indirekte Inhaltsvermittlung angewandt. Im Unterschied zu ihrer Vorgängerin, der Jahresrevue, nahm die Ausstattungsrevue eine lokale Szenerie weniger zum Anlaß versuchsweise satirischer Bezüge, als zum Ausgangspunkt gefälliger Schauwirkung. Die Internationalität der Gattung reduzierte lokale Typen auf zeitgelöste Figuren und reproduzierte Klischees, die sich bereits in der Operette ausgebildet hatten.

Vor allem Wien lieferte die gewünschte Kulisse für ein realitätsfernes Lokalbild. Die Berliner, mentalitätsmäßig gegenwartsbejahender, zeigten in ihren Revuen weniger Sentimentalität, die als typisch österreichisches "'s alles hin" ein stetes Sichlaben am eigenen Weltschmerz sucht. Weil zudem die Wiener Operette den Boden für ein international bekanntes und beliebtes Wien-Klischee mit Kaiser, Heurigem, Walzer und süßem Wiener Mädl bereitet hatte, waren die Wien-Bilder die weitaus zahlreichsten unter den Lokalszenen der Ausstattungsrevuen.

Ein Walzerlied, Text von Beda, aus dem Bild "Ein Strauß von Johann Strauß" der Charell-Revue "An Alle" (1924) reproduzierte ein typisches Wien-Klischee voll kitschiger Trivialität, dem alle Zeitläufte bisher nichts anzuhaben vermochten:

> "Mein Wien, mein Wien, du Liederstadt,/ Wo Johann Strauß gefiedelt hat,/ Umrahmt vom grünen Wiener Wald,/ Wo hell der Lerche Lied erschallt./ Die Donau lacht im Sonnenglanz,/ Das Herz erfüllt Musik und Tanz./ . . . Süße Geigen locken zum Tanz —/ Selig schweigen/ Mizzi und Franz — oh./"[142]

Dieses Lied sang in Berlin Cordy Millowitsch als junge Fürstin aus einer Zeit mit Kaiser und Hofloge: ein Beispiel für die Tendenz der Revuen, ihre Lokalbilder vorzugsweise im historischen Bereich anzusiedeln, um mit einem verklärten Gestern den Wünschen des Publikums nach Realitätsferne und -flucht zu entsprechen.

Die Berliner Revuen, internationaler wie gegenwartsbezogener, übernahmen als einziges historisches Berlin-Klischee das der Zille-Bilder. Deren Authentizität reduzierten sie zu oberflächlich als nur pittoresk dargestellten Typen und Hinterhofszenerien. Wie in den Jahresrevuen wurde Proletariermilieu im Sinne des bürgerlichen Durchschnittspublikums realitätsfern geschildert. Indem man es romantisierte, verhinderte man eine realistische Konfrontation mit den Problemen der unteren Schichten. James Kleins Revue "Das hat die Welt noch nicht geseh'n" (1924) zeigte in einem "Zille-Bild" Lotte Werkmeister und Paul Westermeier als Berliner Apachen.

Vergangenheitsselige Sentimentalität wie in "Wieder Metropol" (1926) bildete eine Ausnahme in den Berliner

---

142. Textbuch d. Gesänge, Thslg. ÖNB Wien.

Ausstattungsrevuen. Das "alte, verklungene Berlin" beschwor Max Hansen in einem Lied von Willi Kollo:

> "Wer dich besessen, kann nie dich vergessen,/ Mein altes, mein schönes Berlin!/ Schwinden die Jahre,/ Die Frauen, die Haare,/ Die letzten—, langsam dahin./ . . . Nirgends mehr gibt es/ Dich mein geliebtes,/ Altes verklungenes Berlin!/"[143]

Lokalbilder mit aktueller Bezugnahme waren dagegen in den Berliner Revuen relativ häufig vertreten, in erster Linie in den Produktionen bis Mitte der zwanziger Jahre. Die "Große Varieté-Ausstattungs-Schau" des Berliner "Apollo" unter James Klein mit dem Titel "Die Welt im Jahre 2000", die sich freilich weniger mit Utopie als mit aktuellen Themen beschäftigte, berücksichtigte das im Jahre 1919 noch recht junge Medium Film in einem Couplet im Berliner 'Schnauze'-Ton: "Joseph, Joseph, kurble mir!"

> "Wo zahlt man gern 10 Mark Entree?/ Im Kientopp — im Kientopp!/ Wo klaut man Dir das Portemonnaie?/ . . . Wo kriegt man eine Gänsehaut? Wo knutscht im Dustern man die Braut?/ Im Kientopp huppt Fern Andra rum,/ Da bringt sich Henny Porten um,/ Da kann man den Max Landa sehn./ Im Kientopp ist es gar zu schön —/"[144]

Anspielungen auf jüngste Ereignisse und Zustände im Berlin der Zwanziger brachte u.a. ein Couplet im "Badebild" der Charell-Revue "An Alle" (1924): Zeppelin, Straßenbeleuchtung und zunehmende Verkehrsdichte fanden ihre Anmerkungen. Die erste Haller-Revue, 1923 zeitsymbolisch "Drunter und Drüber" genannt, zeigte innerhalb ihrer Revuebilderfolge die Erlebnisse der Familie Schliephake im Berlin der Inflation. Diese als Ausstattungs-Zeitposse anzusehende Revue schilderte die damalige Wohnungsnot im Lied "Ich hab' ein Stübchen im

143. Textbuch d. Gesänge, Dt. Staatsbibl. West-Berlin.
144. Textbuch der Gesänge, Berlin o.J.

fünften Stock", ferner die Notgeldsituation: Willi Schaeffers verteilte Notgeld von einer Toilettenpapierrolle, deren Scheine dem Empfänger 1930 1000 Goldmark versprachen.

Ab Mitte der zwanziger Jahre bedingte die Internationalisierung der großen Revuen zunehmend lokal weniger fixierte Ausstattungsszenen. Sowohl für die auswärtigen Besucher in Berlin und Wien als auch für die Zuschauer auf den zahlreichen In- und Auslandsgastspielen wurde auf eine spezielle lokale und aktuelle Bezugnahme verzichtet, um mit einer Allgemeinverständlichkeit des Inhalts dem Kommerztheaterprodukt Revue eine möglichst große Absatzchance zu sichern.

An die Stelle der individuellen Lokalszenen traten Klischeevorstellungen von Berlin bis Hawaii: romantisierter Hinterhof, Weltstadt und Wunschtraum-Exotik. Dabei wurde die normierte Erwartung der Besucher bestätigt und nicht deren Phantasie angesprochen.

B. Politik

Anspielungen auf nationale und internationale politische Ereignisse wurden in Conférencen, aber auch in Sketchen und Couplets vermittelt. Im Vergleich mit der aktuellen politischen Bezugnahme der Jahresrevue waren in der Ausstattungsrevue diesbezügliche Inhalte auf ein Minimum beschränkt. James Kleins Revue "Europa spricht davon" (1922) stellte in der relativ häufigen Einbeziehung politischer Themen in Szenen und Ausstattungsbildern eine Ausnahme dar. Zu einem "Politischen Diner" versammelten sich Alfred Scherr, Bernhard

Kaw[145] und Monsieur France. Für ein politisch gefärbtes Revuebild typisch, wurden äußerliche, leicht reaktionär gefärbte Anspielungen einbezogen: oberschlesischer Karpfen mit polnischer Soße wies auf das von Polen besetzte Oberschlesien hin; Käse à la Wilson, d.h. mit 14 Löchern, bezog sich auf das 14-Punkte-Programm des amerikanischen Präsidenten; eine Zigarre, Marke Poincaré[146], kohlte zu stark, und eine andere, Marke Trotzki, hatte ein ramponiertes Deckblatt.[147] Bezeichnenderweise akzeptierte Deutschlands Teilnehmer an dieser Runde nur die Zigarrenmarke "Fürst Bismarck".

Die Tendenz solcher politisch gefärbten Szenen in den frühen Ausstattungsrevuen kennzeichnete eine zeitgenössische Stimme, die der Ansicht war, Revue sei nicht der geeignete Ort, *"alle anderen Nationen als Bösewichter, sich aber als reinen Toren hinzustellen und auch durch sonst ganz liebenswürdige Damen mit nackten Beinen und bunten Fähnchen Anschlußpropaganda zu machen"*.[148]

Direkte innenpolitische Bezüge in den Ausstattungsrevuen dürften wenig über allgemeine Anspielungen auf aktuelle lokale Zustände und Ereignisse hinausgegangen sein. Eine Ausnahme innerhalb der von der Revue ansonsten geübten Enthaltung in politischer Stellungnahme bildete ein Couplet aus Hallers "Achtung! Welle 505" (1925), das mit einer "Entpolitisierung" des öffentlichen Lebens reaktionäre Tendenzen propagierte: "Dann ist es wieder richtig".

145. Vermutlich Alfred Kerr u. Bernhard Shaw gemeint.
146. Französischer Ministerpräsident.
147. Anspielung auf Trotzkis Exil.
148. Rez. "Europa spricht davon", Wiener Allg. Ztg., 7.5.1923.

3. "Früher fragt' kein Mensch Dich: Biste Völkisch odei Zioniste,/ Nee, deswegen hat sich keener rumgerauft./ Keener fragte nach die Ahnen,/ Nach die Farbe von die Fahnen,/ Wenn der Mensch mit Pankewasser war getauft;/ . . . Darum Kinder, seid doch stieke,/ Laßt den Quatsch, die Politike,/ Und Berlin wird wieder neu erblüh'n./

Wenn die kleinen Mädchen nicht mehr wählen geh'n,/ . . . Wenn wir dereinst recht stramm und tüchtig/ Alle Mann an einem Strange zieh'n,/ Dann ist es wieder richtig,/ Goldrichtig in Berlin!"[149]

Ähnlich wie in den Jahresrevuen zielte die Mehrzahl der innenpolitischen Textbezüge in den Ausstattungsrevuen auf eine Stärkung und Selbstbestätigung des vorherrschenden Nationalismus ab, wobei restaurative Tendenzen durchaus vertreten waren. Einen unkritischen, zum Chauvinismus übersteigerten Patriotismus, wie er sich während des ersten Weltkrieges zum Klischee herausgebildet hatte, übernahm die James-Klein-Revue "Das hat die Welt noch nicht geseh'n" (1924) in einem "Kindermarsch":

"Vaterland, wir schützen dich immer,/ Vaterland, verlassen dich nimmer,/ Was man einst gespielt,/ Was man als Kind gefühlt,/ Das bleibt besteh'n,/ Kann nicht vergeh'n,/ Wo deutsche Fahnen weh'n./"[150]

Den Revuen der Brüder Schwarz, die in Wien wie in Berlin aufgeführt wurden und dann auf Tournee durch das In- und Ausland gingen, folgten Hubert Marischkas betont österreichische Revuen, deren nationale Bezüge unaufdringlicher und revuemäßiger in Ausstattungsbilder einbezogen wurden. Sie entsprachen dem von offizieller Seite geförderten eigenstaatlichen Selbstbewußtsein der jungen Republik Österreich ab Mitte der Zwan-

149. Textbuch der Gesänge, Thslg. ÖNB Wien.
150. Text von Wolff, Textbuch der Gesänge, LA West-Berlin, Slg. Matthes.

88

ziger. Betont patriotisch gab sich die Revueadaption der alten Militärschnurre "Der Feldherrnhügel" von Roda Roda und Karl Rößler unter dem Titel "O du mein Österreich". Gewiß kann man es nicht als puren Zufall bezeichnen, daß dieses Revue-Panorama des alten k. u. k. Österreich im November 1933 im Wiener Stadttheater seine Uraufführung erlebte, im Jahr der verhängnisvollen Machtergreifung Hitlers in Deutschland. Die Gefahr eines nationalsozialistischen Putsches in Österreich war bedrohlich geworden. Dem entgegen wurden 250 Mitwirkende, darunter Marischka persönlich, Karl Farkas und Camilla Spira, zu einem theatralischen Bekenntnis zum politisch selbständigen Österreich aufgeboten. Typisch nur, daß die Inhalte dieses Bekenntnisses sich vornehmlich aus der Vergangenheit rekrutierten. Eine Parade historischer Epochen und ihre Figuren, Tänze und Lieder schloß mit der Apotheose des Festzuges "1000 Jahre Österreich".[151]

Diese Form patriotischer Aufrüstung mit Hilfe der Revue als politisch zielendes Instrument wurde offiziell durch den damaligen österreichischen Bundeskanzler Dollfuß sanktioniert, der auch an der Spitze einer Regierungsabordnung an der Premiere teilnahm. "*Die Verkündigung von vaterländischen Ideen von der Bühne herab hat die größte Kraft der Propaganda und wiegen [!] mit manchen Volksversammlungen und mit vielen Mitteln der Fremdenverkehrspropaganda auf.*"[152]

151. Progr. Thslg. ÖNB Wien.
152. Dr. Dollfuß, zit. bei Marischka, Progr., a.a.O., S. 1.

4. Die Zeitrelevanz der Revue in Funktion und Ästhetik

A. Politische, soziale und wirtschaftliche Bedingungen

Die Ausstattungsrevue in Berlin und Wien und damit die des deutschen Sprachraums stellt primär ein Phänomen der zwanziger Jahre unseres Jahrhunderts dar. Jäher Aufstieg, höchste Popularität und baldiger Niedergang der Revue als eindimensionaler Schau fielen in das Jahrzehnt zwischen 1920 und 1930, jene sogenannten Goldenen Zwanziger, deren Mythos aus Mißverständnissen hier nicht zur Debatte steht.

Man hat die Zeit zwischen 1918 und 1933, die Ära der Weimarer Republik für Deutschland, in drei Phasen einzuteilen versucht. Diese lassen sich, sowohl für die politischen als auch für die wirtschaftlichen Konstellationen, in etwa auf die Jahre bis 1938 der österreichischen Ersten Republik übertragen. Danach vollzog sich der erste Einschnitt nach einer Phase politischer wie wirtschaftlicher Krisen 1923 mit dem Ende der Inflation in Deutschland. Die zweite Phase, gekennzeichnet durch eine relative außen- wie innenpolitische Stabilisierung und wirtschaftliche Prosperität, umfaßte die Jahre 1924 bis 1928/29. Der New Yorker Börsenkrach von 1929 markierte den Beginn der Depressionsjahre, für Deutschland den Anfang vom braunen Ende, das Österreich fünf Jahre später traf.

Im Zusammenhang mit dem Emporschnellen der Ausstattungsrevue[153] interessiert der soziale Umschichtungsprozeß, der mit der Inflation seinen Abschluß fand, weil er die sozio-psychologischen Voraussetzungen für die Attraktivität der Revue schuf. Die Inflation nutzte den Produzenten und Eigentümern von Devisen. Sie führte zunächst zu einer wirtschaftlichen Scheinblüte, die ehemalige Kriegsgewinnler sich in Spekulanten, Schieber und Schleichhändler verwandeln ließ. Die Nachfrage nach Sachwerten stieg sprunghaft. Verluste erlitten infolge des täglichen Geldwertverfalls die Eigentümer von Barvermögen, so daß man als die eigentlichen Geschädigten neben dem Proletariat das Kleinbürgertum und der untere Mittelstand, ferner Beamte, Akademiker und Rentner ansehen muß, Schichten, die bereits durch die Kriegsanleihen Vermögen verloren hatten. Und gerade diese Kreise hatten das Hauptkontingent der bildungsbürgerlichen Theaterbesucher gestellt, was zur Folge hatte, daß die soziale Umstrukturierung eine solche des Theaterpublikums bewirkte.

Zahlungskräftig für die Theater, vor allem für die auf Gewinn ausgerichteten privaten, waren jetzt oft nur mehr die meist bildungsarmen Neureichen, deren Geschmacksrichtung das künstlerische Niveau der Theater zu bestimmen begann. Die finanzkräftigen, aber kulturtraditionslosen Publikumsschichten suchten im Theater Sensation und Amüsement. Die Folge war eine Besucherkrise des

153. Anzahl der Premieren von Ausstattungsrevuen in Berlin und Wien pro Saison (1.8.–31.7.): 1922/23 Berlin 3, Wien 1; 1924/25: Berlin 6, Wien 4; 1926/27: Berlin 13, Wien 9; 1928/ 1929: Berlin 6, Wien 4; 1930/31: Berlin 4, Wien 0; 1932/33: Berlin 2, Wien 0.

literarischen Theaters, so daß die privatwirtschaftlich operierenden Theaterdirektoren zu Anfang der Zwanziger ihr Heil in der publikumsattraktiven Revue suchten.

Außerdem war die mit der wirtschaftlichen Krise Hand in Hand gehende politisch instabile Lage in Deutschland wie in Österreich nicht ohne psychologische Wirkung geblieben. Besonders Berlin wurde zur exemplarischen Stätte des symbolischen Tanzes auf dem Vulkan der Zeitgeschichte. Die erlebten und überlebten Katastrophen schienen die Lebenslust, die Vergnügungsgier zu intensivieren. Die Reaktion der Zeitgenossen auf diese Krisenzeiten äußerte sich in der Suche nach Ablenkung von der unangenehmen Wirklichkeit. Eine Welle der Sucht nach Zerstreuung überschwemmte die Städte, Rauschgift und Okkultismus wurden populär. Und nicht zuletzt konnte die Ausstattungsrevue mit ihrer Betonung des Visuell-Sinnlichen den überreizten Sinnen rasche, allerdings auch nur vorübergehende Befriedigung bieten.

Bereits Ende 1922 gelang es Österreich, mit Hilfe von Auslandskrediten die notwendigen wirtschaftlichen Sanierungsmaßnahmen einzuleiten. In Deutschland tobte die Inflation noch bis November 1923, als die Einführung der Rentenmark dem Spuk ein Ende bereitete. Damit begannen die sogenannten Stresemann-Jahre, fünf Jahre der scheinbaren Stabilisierung von Staat und Wirtschaft. Nach 1926 stieg die deutsche Industrieproduktion wieder bis auf den Vorkriegsstand an. Und auch in Österreich machten sich Ansätze zu einer relativen, wenn auch nicht durchgreifenden Stabilisierung von Staat und Wirtschaft bemerkbar.

Diese wenigen Jahre der Mitzwanziger markieren die nur in der heutigen Legendenbildung "Goldenen Zwanziger".

Während sich die progressive Kunst in der kurzen Zeitspanne bis zur Herrschaft des Faschismus nicht allgemein
durchsetzen konnte, feierte das kulinarische Unterhaltungstheater letzte Scheintriumphe.

B. Die Ausstattungsrevue als Zeitprodukt

Als Anfang der zwanziger Jahre die sogenannte silberne Operette mit ihren schablonenhaften Libretti in
der Konfrontation mit der Jazzmusik Züge krisenhafter
Erstarrung aufzuweisen begann, trat die Revue an ihre
Stelle. Für eine relativ kurze Zeitspanne konnte sie sich
erfolgreich gegenüber der aufkommenden technischen
Konkurrenz von Film und Rundfunk als populäres
theatralisches Unterhaltungsmedium behaupten. Sie
stellte einen Ausdruck ihrer Zeit dar, freilich nicht ebenso beabsichtigt wie etwa die Jahresrevuen des Berliner
"Metropoltheaters" das wilhelminische Deutschland
wiedergegeben hatten.

Die Ausstattungsrevue war insofern ein Ausdruck
ihrer Zeit und ein spezifisches Großstadtphänomen, als
die geistige Situation der Epoche unter Einbeziehung
der matriell-ökonomischen Bedingungen sie entschei-
dend prägte; und ein Zeitspiegel, weil nur eine Trivialform nahezu unsublimiert ihre Gegenwart einbezieht.
Gerade die Revue reflektierte als Trivialform des Theaters[154] eher die latenten Stimmungen und Bestrebungen
der 'Kollektivseele' der durch den Krieg verarmten Klein-

154. Vgl. III, 4C.

bürger wie der neureichen Oberschicht als vergleichsweise elitäre Kunstformen wie Drama und Avantgarde-
film.

Wie jede Zeit und ihre Gesellschaft sich die ihnen
gemäßen Kunstformen schaffen, so erlebte die Ausstattungsrevue im deutschen Sprachraum nicht von unge-
fähr zwischen 1920 und 1930 ihre Blüte. So wie ein
Vierteljahrhundert zuvor das Großbürgertum der Operette zum weltweiten Sieg verholfen hatte, weil es in ihr
seinen vollkommenen Ausdruck fand, so zeigte sich die
Revue untrennbar mit der politisch wie sozial zerrissenen
Gesellschaft der Zwanziger verbunden.

Die Verarmten und Deklassierten aus kleinbürgerlichen bis mittelständischen Gruppen, denen der Zusammenbruch der gewohnten Ordnung auch ihre geistige
Basis entzogen hatte, erblickten in der Revue die Möglichkeit zu Wirklichkeitsflucht und Realitätsersatz. Und
für die Neureichen bildete die Ausstattungsrevue ein will-
kommenes Objekt ihrer hektischen Vergnügungssucht,
die nur mehr auf Oberflächenreiz ansprach.

Aus dieser überreizten Epoche erwuchs das vergäng-
liche Phänomen Revue als inoffizielles 'Zeittheater' der
Raffkeära, dem Faktum entsprechend, daß gerade die
Formen der Massenunterhaltung vom Niveau der in der
jeweiligen Gesellschaftsordnung herrschenden geistigen
und vor allem materiellen Interessen abhängen.

Parallel zur äußeren, ökonomischen Inflation vollzog
sich eine existenzielle, die das Theaterpublikum für die
Revue disponierte. Die Aushöhlung der Werte und die
Unsicherheit der Wertungen ließen Triviales, Kitsch und
Sentimentalität ungehindert wuchern. Dies begünstigte

die Popularität der Ausstattungsrevue. In ihr manifestierte sich überdies eine Inflation der theatralischen Mittel. Man vertraute weniger einzelnen dramatischen Formen, sondern häufte vermeintliche Erfolgskomponenten in der neuen synthetischen Gattung.

a. Beabsichtigte Ziele:
Schau und Unterhaltung

Bewußt war es die Absicht der Ausstattungsrevue, die Schaulust des Publikums zu befriedigen. Der Schauwert einer Bühnendarbietung ist seit jeher eines der wesentlichsten Wirkungsmittel des Theaters gewesen. Während aber vollendete Exemplare früherer Theaterformen Schau und Vermittlung mit einer geistigen Aussage in Verbindung bringen konnten, indem sie Gedankliches in Schaubares transponierten, verselbständigte sich in der Ausstattungsrevue, stärker als in der Operette, das Einzelelement des Visuellen und wurde zum Selbstzweck. Der Geist der Ausstellung in den Künsten des 19. Jahrhunderts manifestierte sich dabei im Theatralischen.

Als "ein grandioser sinnloser Gottesdienst der Sinne"[155] resultierte die Revue zu einem Teil aus dem Rückschlag in die Sinnlichkeit, die dem wortexzessiven abstrakten Expressionismus gefolgt war. So kam es zu einer "Besoffenheit des Schauens"[156], die am Ende sogar der Phantasie keinen Raum mehr ließ[157].

155. "Berliner Revuen", in: Die Bühne, Jg. 3 (1926), H. 99, S. 3f.
156. Felix Salten, Feuilleton "Wien gib acht", NFP Wien, 10.2. 1924.
157. Vgl. Ernst Krenek, Operette und Revue. In: Anbruch, Nr. 3, 1929.

Der primäre Schauwert, den die Ausstattungsrevue vermitteln wollte, läßt sie als Extrem des realitätsfernen, illusionierenden Theaters erscheinen. Durch ungeheuren materiellen Aufwand perfektionierte sie die Illusionierung des Zuschauers, indem sie ihn durch sinnliche Effekte zu widerstandslosem Aufgehen in den vorgetäuschten Bühnenrealitäten verführte. Im Gegensatz zu den bereits im ersten Weltkrieg entstandenen Reaktionen auf das Illusionstheater, die von Brecht und Piscator in den Zwanzigern aufgenommen wurden, stellte die Ausstattungsrevue die extreme Form jenes Theaters der Opulenz dar, das Max Reinhardt auf anderem Niveau zu letzter Vervollkommnung führte.

Befriedigung der Schaulust beinhaltet Unterhaltung. Dieser Begriff ist wie der des Vergnügens an einer theatralischen Produktion so unpräzise zu definieren, weil Unterhaltung subjektiv aufgenommen und von jedem Medium unterschiedlich vermittelt werden kann. Die Ausstattungsrevue unternahm, bevor sich die technischen Massenmedien durchsetzten, den bisher letzten Versuch des Theaters, Unterhaltung durch puren Schauwert zu erzielen. Unterhaltung oder die Wirkungen, die für Unterhaltung Gehaltenes hervorriefen, hatten die Krise des ersten Weltkrieges und seiner Folgejahre nicht unverändert überstanden. Sie war äußerlicher, direkter geworden; sie entsprang dem Wunsch nach stärkerer Abwechslung, für die immer sensationellere Reize geschaffen werden mußten. Solange die Revue den Bedarf ihres Publikums an äußerlich sinnlicher Unterhaltung optimal oder wenigstens maximal befriedigen konnte, erlebte sie ihre Konjunktur.

Die sozial heterogenen Massen, die in den Groß-
städten hinsichtlich ihrer Unterhaltungserwartungen ein
homogenes Publikum bildeten, suchten zunehmend
Unterhaltung als Zerstreuung, Ablenkung, die aus der
gestiegenen psychischen wie physischen Belastung des
einzelnen resultierte. Die Ausstattungsrevue akzeptierte
diese Forderungen eines geänderten Unterhaltungsbe-
dürfnisses, indem sie die Äußerlichkeit des Effekts zur
Kulmination brachte und geistige Ansprüche nahezu
unberücksichtigt ließ.

> "Seit 12 Jahren erleben die Menschen eine Katastrophe
> nach der anderen; . . . es wäre weltfremd, sich dagegen zu
> verschließen, daß ein Alltag, den Verzweiflung untermalt,
> seine Entspannung im Taumel sucht . . , Heute triumphiert
> die Revue . . Blendende Ausstattung berauscht das Auge,
> der Anblick so viel strahlender Mädchenjugend erfreut und
> erfrischt die Gemüter . . . Und nichts ersehnen die Menschen
> heute so sehr, als durch Augenweide, durch Lachen und
> durch Tanzmusik zerstreut, ergötzt, befreit zu werden."[158]

b. Immanente Inhalte:
Wirklichkeitsflucht und Ersatzfunktion

Die Stimulierung des Sensuellen und die damit verbundene Illusionierung kamen latenten Tendenzen zur
Realitätsflucht beim damaligen Publikum entgegen.
*"Zwei, drei Stunden lang bekommt das Publikum vorge-
sagt: es gibt keine Not, es gibt keine Sorge, es gibt keinen Daseinskampf . . . das Leben ist eine Freude! Die
Revue verleugnet den grauen Alltag . . ."*[159] Buchstäblich

158. Felix Salten, Revue u. Theater, NFP Wien, 18.4. 1926.
159. Panegyricus, Warum Revue? Progr. "Der Zug nach dem
     Westen", Gastspiel Dt. Th. München undat., LA West-Berlin,
     Slg. Matthes.

glänzend täuschte die Revue über die realen Verhältnisse hinweg und war damit zu einem *"Zweig des bourgeoisen Rauschgifthandels"*[160] geworden. Insofern wurde sie zu einem latent ideologischen Instrument, das, wenn auch nicht direkt beabsichtigt, durch die Realitätsferne seiner Inhalte indirekt die gegebenen politischen wie sozialen Zustände konservieren half.

Die Wirklichkeit des damaligen Alltags fand nur in äußerlichen, modischen Zeitphänomenen Eingang in die auf unkritischen Kulinarismus bedachte Unterhaltungsform Revue. Ein Thema wie die neuen Jazztänze aus den USA, Charleston, Shimmy, Boston, beherrschte im besonderen Maße Bilder und Texte der Revuen. Dabei simplifizierte man die plakative Genußsucht einer imaginären großstädtischen Lebewelt zum spezifischen Lebensgefühl der Zeit.[161] Eskapismus durch Zeitferne war einer der Hauptinhalte der Ausstattungsrevue. Der beabsichtigte Nonsenscharakter der Texte zahlreicher Revueschlager entsprach dem Wunsch nach Realitätsflucht.[162] Das Primäre bei diesen Schlagern war die Musik, die neuen synkopierten Rhythmen. Die Texte

160. Bertolt Brecht, Kl. Organon, Vorrede. In: Ges. Werke Bd. 16, Ffm. 1967, S. 661.
161. "Shimmy-Duett" aus "Wien tanzt Shimmy" (1922): "Längst dahingeschwunden/ Sind die frohen Stunden/ Der Gemütlichkeit./ Durch die Tanzlokale/ Jagt das wild brutale/ Spiegelbild der Zeit . . ./ Die ganze Welt zuckt heut' im Shimmyfieber./ Es tanzt der Gent, Kokottchen und der Schieber./ Ob die Kurse steigen, ob der Dollar fällt,/Shimmy,Shimmy,Shimmy tanzt die ganze Welt." (Text NÖLA Wien).
162. Foxlied aus der Haller-Revue "Wann und Wo" (1927): "Mariechen hat ein Gummischwein,/ Das setzt sie an den Mund./ Und bläst Mariechen Luft hinein,/ Da wird es kugelrund./ Doch läßt sie dann die Luft heraus,/ Dann fängt es an zu schrei'n,/ Und haucht sein junges Leben aus,/ Das arme Gummischwein./" (Text Klavierauszug Dt. Staatsbibl. West-Berlin).

sollten nicht zuviel Aufmerksamkeit erfordern, vielmehr in ihrer bestenfalls charmanten Stupidität das Entstehen eines Gassenhauers erleichtern.

Weiter kann Sentimentalität als Mittel der Wirklichkeitsflucht angesehen werden. In einem Bild wie "Mütter der ganzen Welt" aus der Charell-Revue "An Alle" (1924) wurde dies deutlich. Das "Mutterlied" mit der japanischen, schwarzen und deutschen Mutter spiegelte ein geradezu krampfhaftes Verlangen nach der Vortäuschung einer heilen Welt wieder, wozu ein mit sentimentalen Mißverständnissen vorbelastetes Thema wie das der Mutter prädestiniert war.

Neben diesen ihrem Inhalt nach antirealistischen Mitteln bleibt die Ausstattung als Hauptfaktor visuellen Effekts anzuführen, die in besonderem Maße dem Eskapismus Vorschub zu leisten vermochte. Die Themen der Ausstattung wiesen nahezu ausnahmslos zeitferne, unpolitische, historische oder antirealistische Motive auf. Der Rückzug in ein Traumland des schönen Scheins wurde durch personifizierte Darstellungen von Allegorien, Requisiten der im Rückblick immer glücklichen Kindheit und vor allem aus den Bereichen von Natur und Märchen heraufbeschworen. Dieser zeitlosen Scheinwelt stand eine Flucht in die Vergangenheit gegenüber, ein Symptom nicht akzeptierter Gegenwart, wodurch diese temporär verdrängt werden sollte. Für die nur mehr emotional reagierenden Zuschauer reproduzierten die Revuen die Klischees der guten alten Zeit, die von der Verunsicherung durch die Gegenwart ablenken half.

Auffallend ist, daß sich diese Eskapismustendenzen über die Jahre der Inflation hinaus fortsetzten und sich nicht auf die Zeit der großen politischen und sozialen

Krisen beschränkten. Man darf annehmen, daß die Verdrängung der Ängste jener Epoche gerade die Zeit der Scheinblüte benutzte, um die politische wie soziale Unsicherheit der Zeit mit den Mitteln der Illusion in eine vorgebliche Stabilität zu projizieren.

Die Revue als Mittel zur Steigerung des Lebensgefühls, indem sie Surrogate nicht vorhandener Realität lieferte, ist ein weiterer Aspekt ihrer Funktion und ihres immanenten Inhalts. Lauter schöne, strahlend optimistische Menschen in prächtigen Kleidern zeigten sich dem Publikum im Luxus eines scheinbar permanenten Sonntagslebens. Und die depravierten Kleinbürger strömten in Scharen, um den Surrogaten eines genußvollen Lebens zu erliegen. Die blendende Ausstattung verhalf dabei zum Erlebnisersatz. Nicht zufällig bewegten sich die Themen der Bilder im Bereich von Genuß- und Luxuswaren und der Mode. In weiblichen Personifizierungen wurden Dinge präsentiert, die dem Durchschnittszuschauer der Zeit unerschwinglich und daher Objekte seiner Wünsche waren. Die zusätzliche Überdimensionierung verstärkte den irrealen Ersatz und Trost.

Abgesehen von den finanziellen Mitteln fehlten die verkehrstechnischen Voraussetzungen für einen Massentourismus in der damaligen Zeit. Also zeigten die Revuen Ausstattungsbilder mit mondänen Ferienorten, exotischen Ländern und phantastischen Abenteuern, die Ersatz boten, bald aber Frustrationen hervorriefen. Ein Gefühl der Leere, gerade nach der optischen Übersättigung, war unausbleiblich. Auf die Dauer vermochte der Bilderbuchcharakter der Revue mit ihrem Talmiglanz selbst den illusionsbereitesten Zuschauer nicht vor einer Konfrontation mit der Wirklichkeit zu bewahren.

C. Die Ausstattungsrevue als Trivialform des Theaters

Ästhetische wie ethische Werturteile haben die Bezeichnung "trivial" negativ vorbelastet. Die pauschale Einordnung der Revue unter den Begriff des Trivialen[163] unterscheidet zwischen Unterhaltungstheater und sogenanntem Bildungstheater, wobei die grundsätzliche Trennung des einen vom anderen von vornherein in Frage gestellt sei.

Aufgrund der Funktionsanalyse bestimmter Mittel der Revue lassen sich in der Ästhetik besonders der Ausstattungsrevue formale Strukturen und Themen der späteren faschistischen Kunst erkennen: so die Massierung von Menschengruppen um eine suggestive Führerfigur gleich dem Star und die Verwandlung von Menschen in Gegenstände in den Ausstattungsbildern mit ihren Personifizierungen von Luxuswaren und Ferienorten.

Die außertheatralischen Veranstaltungen des Faschismus stellten eine konsequente Weiterführung dieser ästhetischen Prinzipien dar, in den Massenaufzügen der nationalsozialistischen Parteitage zum Beispiel oder bei den Sportfesten mit ihren Ornamenten aus Menschenkörpern. Vom Wunsch nach bombastischer Selbstdar-

---

163. Zur Trivialforschung vgl. den Sammelband v. Helga de la Motte-Haber (Hrsg.), Das Triviale in Literatur, Musik und bildender Kunst, Ffm. 1972; Carl Dahlhaus (Hrsg.), Studien zur Trivialmusik des 19. Jahrhunderts, Regensburg 1967, (Studien zur Musikgeschichte des 19. Jahrhunderts. Bd. 8).

stellung getragen, wurden sie Monsterrevuen gleich mit vielen Tausenden anonymer Statisten, Fahnenwäldern und Scheinwerferspielen inszeniert. In ihrer psychologischen Massenwirkung übertrafen sie damit jede voraufgegangene Bühnenrevue.

Wesentlich bestimmt wurde die Ästhetik der Revue durch die primär kommerzielle Ausrichtung des Genres innerhalb des privatwirtschaftlichen Theatersystems der Zeit. Weniger künstlerische Intentionen ließen selbst Direktoren literarischer Bühnen zum Kassenfüller Revue überwechseln, als die finanzielle Spekulation, mittels des neuen Genres entweder die damalige Theaterkrise zu überstehen oder ungeniert an der erfolgreichsten Theatergattung zu profitieren. Als Zweig des Kommerztheatersystems wurden die Revuebetriebe ein wesentlicher "Produktionsfaktor" zur "Bedarfsdeckung an Vergnügungs- und Unterhaltungsware"[164].

Selbst unter der Prämisse, daß keine theatralische Produktion a priori gegen das Publikum aufgeführt wird, entscheidet die Verteilung der Akzente hinsichtlich kommerzieller Spekulation und künstlerischer Absicht über die Trivialität eines Genres. Um buchstäblich auf ihre Kosten zu kommen — was künstlerische Erwägungen nicht ausschloß —, suchten die Revueproduzenten den vermeintlichen Erwartungen des Publikums vollkommen zu entsprechen. Man orientierte sich an den latenten und verdrängten Wünschen der Massen und reduzierte die künstlerischen Möglichkeiten der Revue auf einen anreißerischen Kulinarismus, der sich im Visuellen erschöpfte. Der Schaulust als Selbstzweck opferte man mögliche geistige Inhalte.

164. Fritz Walter Bastian, Finanzierung u. Rentabilität der modernen Theaterwirtschaft, Hamburg, staatswiss. Diss. 1926, S. 9.

Trivial, zu übersetzen etwa mit gewöhnlich, abgedroschen, sind Werke mit Kunstcharakter nicht, weil sie populär wären oder sich wie das Unterhaltungstheater der sogenannten leichten Musik bedienen. Die Zuordnung der Revue zum Trivialbereich beinhaltet nicht deren Gleichsetzung mit niederer Kunst, sondern steht im Zusammenhang mit der Frage, ob die Ausstattungsrevue in Teilen nicht der ästhetischen Bewertungshaltung des Kitsches entsprochen hat. Aus der modernen Kitschtheorie[165], die diese im allgemeinen Sprachgebrauch negativ wertende Bezeichnung nicht als schlechte und unvollkommene Kunst, sondern als "eigenen Gesetzmäßigkeiten unterworfenen Gegenbereich zur Kunst"[166] interpretiert, lassen sich formale wie inhaltliche Kriterien auf die Ausstattungsrevue übertragen.

Die Revue wie die Kitschform kennzeichnet im Gegensatz zur architektonischen die kumulative oder anhäufende Bauform[167], die in einer Reihung isolierter Einzelbilder das Ziel der Maximierung von Stimmungsreizen verfolgt. Inhaltlich stellt Sentimentalität eines der häufigsten Charakteristika von Kitschprodukten dar. Rühr-Seligkeit, die genossen werden konnte, gehörte zu

165. Vgl. u.a. Th. W. Adorno, Ästhetische Theorie, Ffm. 1970. Ders., Ist die Kunst heiter? In: Versuch, das Endspiel zu verstehen, Ffm. 1973.
Pavel Beylin, Der Kitsch als ästhetische und außerästhetische Erscheinung. In: Die nicht mehr schönen Künste, hrsg. v. Hans Rob. Jauß, München 1968.
Ludwig Giesz, Phänomenologie des Kitsches, Heidelberg 1960.
Walter Killy, Deutscher Kitsch, Göttingen 1962.
Jochen Schulte-Sasse, Die Kritik an der Trivialliteratur seit der Aufklärung, München 1971.
Gert Ueding, Glanzvolles Elend, Versuch über Kitsch u. Kolportage, Ffm. 1973.
166. Schulte-Sasse, a.a.O., S. 11.
167. Vgl. Schulte-Sasse, a.a.O., S. 19ff.

den wesentlichen Mitteln der Revue. Dem psychischen Rezeptionsverhältnis zum Kitsch[168] entspricht bei der Revue das subjektive, zur Realität distanzlose Erleben einer kritiklos aufgenommenen Traumsphäre, mit der sich bequem identifiziert werden konnte.

Im Schein des Kitsch-Schönen wurden gesellschaftliche Konflikte durch 'Verschönerung' zum Verschwinden gebracht.[169] Für das konventionalisierte ästhetische Bewußtsein einer auch kulturell heterogenen Epoche verwirklichte die Kitschform formale und inhaltliche Stereotypen.[170] Die Ausstattungsrevue entsprach in wesentlichen Elemente einschließlich ihrer zwischen Sentimentalität und Gegenwartsschlager pendelnden Musik[171] diesen Kriterien, auch wenn man Kitsch als ästhetischen Erlebnisbereich des kitschig disponierten Menschen definiert, des Brochschen "Kitsch-Menschen"[172], den Mangel an rationaler Distanz und Genuß an der eigenen Stimmung charakterisieren sollen. Aufschlußreich wenn auch hypothetisch bleibt die soziologische Erklärung des musikalischen Kitsches als "Kunst des Kleinbürgertums".[173]

168. Vgl. Schulte-Sasse, a.a.O., S. 22ff.
169. Vgl. Ueding, a.a.O., S. 61.
170. Vgl. Beylin, a.a.O., S. 398.
171. Vgl. zum musikalischen Kitsch: Carl Dahlhaus, Über musikal. Kitsch. In: Studien zur Trivialmusik des 19. Jahrhunderts, a.a.O., S. 63ff.
172. Hermann Broch, Einige Bemerkungen zum Problem des Kitsches. In: Dichten und Erkennen, Bd. I, Zürich 1955, S. 295.
173. Tibor Kneif, Die geschichtlichen und sozialen Voraussetzungen des musikal. Kitsches. In: Dt. Vierteljahresschrift für Literaturwissenschaft u. Geistesgeschichte, 37, 1963, S. 22ff.

Einige Theaterdirektoren der Zwanziger mögen, auf das bewußtlose Genießen in der Revue spekulierend, absichtlich zu Kitschproduzenten geworden sein. Im Nachhinein läßt sich eine objektive Kitschphänomenologie für die Ausstattungsrevue schwerlich betreiben. Kitsch bildete nicht ein Synonym für Revue, sondern einen ihrer Bestandteile, schließt man nach ihren Bildklischees und Inhaltsmustern.

5. Endphase und Nachfolger

"The heyday of the revue was comparatively brief, like a display of fire works, the effect could not be maintained indefinitely."[174] Das Bild eines Feuerwerks der Effekte kennzeichnet die kurze Blüte der Ausstattungsrevue. Ihre Epoche war bereits Anfang der dreißiger Jahre faktisch beendet, ein Vorgang, den Adorno zusammen mit dem Absterben der Operette als das *"drastischste geschichtliche Phänomen aus der jüngeren Phase der leichten Musik"*[175] genannt hat.

Äußerlich kann im Vordringen der neuen technisierten Unterhaltungsmedien Rundfunk und Film ein Grund für das frühzeitige Ende der Bühnenrevue gesehen werden. Aber auch die Attraktivität des Revuefilms zeigte sich rasch erschöpft, so daß man den soziologischen Ursachen der Übersättigung der Zuschauer an

174. Baral, a.a.O., S. 12.
175. Leichte Musik, a.a.O., S. 201.

der Äußerlichkeit der Revue nachgehen muß. Adorno fragt nach Meinung des Verfasser zu recht, ob nicht gerade das Unrealistische und Imaginative an der Revue die meisten Zuschauer überforderten.[176] Einem Publikum, dem es weitgehend ungewohnt war, Phantasie spielerisch zu gebrauchen und Bildassoziationen selbständig herzustellen, kam die schematisierte, den Geist gängelnde Zuckergußhandlung einer Operette eher entgegen als die relativ zusammenhanglose, *"von keiner falschen Logik gebändigte Gedankenflucht"*[177] der Revue.

A. Revueoperette

Während das Varieté nach 1930 im deutschen Sprachgebiet eine neuerliche Blütezeit erlebte, trat die ständig totgesagte und doch niemals gänzlich abgestorbene Operette die direkte Nachfolge der großen Revue an, indem sie den Schaueffekt in ihre Handlungsschablone miteinbezog.

Der nahezu vollkommene Verzicht auf eine durchgehende Handlung hatte sich für die Revue als Nachteil erwiesen. Hatte die Revue ihrer Form, nicht ihrem Inhalt nach die Hektik der damaligen Gegenwart besessen, so entsprach die illusionäre Idyllik der Operette mit ihrer fiktiven Adels- und Großbürgergesellschaft dem tiefsten Sehnen des kleinbürgerlichen Geistes der dreißiger Jahre,

176. Vgl. Adorno, ebenda.
177. Adorno, ebenda.

aus dem der Faschismus seine fruchtbarste Nahrung erhalten sollte. Die Revueoperette potenzierte in gewisser Hinsicht die Funktion und Inhalte der Ausstattungsrevue. Sie zog den Teil des ehemaligen Revuepublikums an, der weiterhin der Tröstungen einer Illusionswelt bedurfte.

Eine meist sentimentale Handlung wurde mit Ausstattungsszenen, vorwiegend Balletteinlagen, aufgewertet, ohne daß der Zuschauer aus seiner Traumwelt herausgerissen wurde, wie dies das Nummernschema der Revue verursachte. Die Revueoperette erleichterte die Rezeption um ein weiteres: Nicht mehr eine Vielzahl disparater Bilder mit zwischengestreuten Sketchen und Conférencen zwang zu stetem neuem geistigem Einstieg, sondern ein einziger Handlungsstrang wurde auf drei Stunden gedehnt und zu einer Apotheose retrospektiver Kleinbürgermentalität gebracht. Revuemäßig inszeniert und ausgestattet entstand die Mischform der Revueoperette, die entweder primär Operette blieb und lediglich die typische dreiaktige Handlung in Bilder auflösend 'episierte' oder ursprünglich als Revue konzipiert war, deren Stationen und Episoden mittels einer durchgehenden Handlung stärker verbunden wurden.

In Berlin initiierte den Übergang zur Revueoperette Erik Charell. Bereits in der Saison 1926/27 ging der Hauptkonkurrent der Haller-Revue mit "Wie einst im Mai", "Der Mikado" und "Madame Pompadour" zur Operette über. Aber erst mit "Casanova" (1928) und "Die drei Musketiere" (1929) zeigte Charell seine spezifische Revueform der Operette, indem er sich nicht nur darauf beschränkte, ein bekanntes Werk ausstattungsmäßig zu erweitern und Ballettszenen einzubauen.

Schanzers und Welischs Libretto um die Figur Casanovas, zu Kompositionen von Johann Strauß in der Bearbeitung von Ralph Benatzky, integrierte die Revueeinlagen in den Handlungsablauf: Casanova im Venedig der Tänzerin Barberina, in Wien auf einer Opernredoute, am Potsdamer Hof, in Spanien.[178] Als Finale zog ein venezianischer Maskenzug vom "Markusplatz am Dogenpalast vorbei über die Brücken des Canale Grande nach dem Rialto".[179] Das war epische Revueoperette, nur in einem Riesenhaus wie dem von Poelzig für Reinhardt umgebauten "Großen Schauspielhaus" zu verwirklichen.

Die Revueoperette bildete Anfang der dreißiger Jahre den Übergang zur Rückkehr der alten, sentimentalen Operette, die ihre neuen Höhepunkte an Popularität in Lehárs opernhaften Spätwerken wie "Das Land des Lächelns" (1929) und "Schön ist die Welt" (1930) erlebte. Parallel entwickelte sich die Tanzoperette in den Prototypen Paul Abrahams, etwa "Viktoria und ihr Husar" (1930) und "Blume von Hawai" (1931), in der sich Revueelemente mit Einflüssen des Films mischten.

178. Magazin u. Progr. "Casanova", undat., Thslg. ÖNB Wien.
179. Ebenda.

B. Kabarettrevue

Mit der geschichtlichen Zäsur der Weltwirtschafts-
krise zu Beginn der dreißiger Jahre hatte sich die Erwartungshaltung eines Teiles des Theaterpublikums
geändert. Diejenigen, die weiterhin ihre Sorgen vergessen wollten, indem sie sich diese verschleiern ließen,
bevorzugten nun die Operette. Daneben war ein Bedürf-
nis nach Zeitnähe in kritischer Unterhaltung wieder-
erwacht, dem die kleinen Revuen der Nelson, Hollaender und Schiffer in Berlin, der Grünbaum und Farkas in
Wien entsprachen. Satirisch-aktuelles Kabarett, literarische Revue und reduziertes aber raffiniertes Schau-
Amüsement gingen eine Synthese ein, die als Kleine
Revue, Kabarett- oder Kammerrevue eine Zwischen-
gattung bildete.[180]

Wie die Ausstattungsrevue zu einem Teil vom Cabaret französischen Ursprungs beeinflußt worden war, so
versuchte das Kabarett, zu dem sich die deutschsprachige Adaption aus Bunter Bühne und politisch-aktueller
Satire entwickelt hatte, in den Zwanzigern von der
prosperierenden Großform der Revue zu profitieren. Die
räumliche Beengtheit der meisten Kabaretts, die in
Kellerlokalen oder kleinen Sälen untergebracht waren,
begrenzte von vornherein die Übernahme aufwendiger
Ausstattungseffekte. So suchte man eine Mischung aus

180. Um dem typologischen Charakter dieser Arbeit gerecht zu
     werden, sei hier eine Übersicht gegeben, die die vergleichs-
     weise zahlreiche Sekundärliteratur zur Kabarettrevue ergän-
     zen soll.

maßstabgerecht verkleinerter Jahresrevue mit aktueller Satire und Einlagen mit Gesang- und Tanzszenen zu schaffen.

Diese im Berlin der frühen zwanziger Jahre entstandene literarisch-dramatische Kleinform behielt stärker als die großen Revuen den Potpourricharakter des alten Nummernkabaretts bei, also eine Folge von Couplets und Szenen, die durch Einzel- oder Doppelconferencen und einen weit gefaßten Obertitel mit einem Handlungsfaden verbunden wurde. Wenige Girls komplettierten die Revue en miniature.

Als Kriterien der Kleinen Revue hinsichtlich ihrer weiteren Unterscheidung lassen sich kritische Satire oder harmlose Verulkung mit dem Ziel kulinarisch-ablenkender Unterhaltung anführen. Rudolf Nelson schuf im intimen Rahmen seines Theaters am Berliner Kurfürstendamm kleine Revuen, die in der Verbindung von Aktualitätsbezug und mondän-raffinierter Ausstattung Metropoltheater-Ersatz für das spezifische Weltstadtpublikum des Berliner Westens der Zwanziger darstellten. Die dem satirischen Kabarett mögliche Gesellschaftskritik nutzen Nelson und seine Textautoren angesichts ihres großbürgerlichen bis neureichen Publikums nicht. Beim Komponisten Nelson, der seine Revuen am Flügel selbst begleitete, lag das Primat bei der Musik, obwohl zu den Autoren ein Zeitkritiker wie Kurt Tucholsky zählte.[181]

Nelsons Revuen ließen in ihren ersten Exemplaren, z.B. in "Total Manoli" (1920), Text von Fritz Grünbaum, Nachfolger der Compére-Figur der Jahresrevue

181. "Wir steh'n verkehrt" (1922) u.a. Zur Nelson-Revue vgl. Budzinski, a.a.O., S. 146ff u. Hösch, a.a.O., S. 215ff.

erkennen. Zwei Personen aus einer Handlungsidee schufen die Verbindung zwischen den einzelnen Bildern, Szenen und Couplets. In "Es geht schon besser" (1926), Text von Schanzer und Welisch, ist die Lebensfreude angeklagt. *"In einem Land, wo die Not herrscht, sei sie verpönt. Aber: 'Es geht schon besser', behauptet der Verteidiger Dr. Tempo gegenüber Staatsanwalt Schwarzseher. Beschlossen wird Beweisaufnahme."*[182] Staatsanwalt und Verteidiger ziehen durch das zeitgenössische Berlin.

Die Szenenfolge einer solchen kleinen Revue bestand meist aus humoristischen Szenen und Sketchen aktueller, wenn auch mehr harmloser Bezugnahme. Hans H. Zerlett, Nelsons Hausautor, verstand unter der von ihm befürworteten Revue *"eine zeitgenössische parodistische Komödie, die nur noch die äußere Technik der alten Revue . . , die wechselnden Bilder hat."*[183] Den Erfolg der Nelson-Revuen begründeten nicht zuletzt die Kompositionen des Hausherrn, seine 'Schlager', von denen wenigstens einer jeder Revue Zugkraft verleihen mußte. Da waren u.a. "Die Peruanerin" (Text Grünbaum) in "Total Manoli" (1920), Tucholskys "Dame mit'n Avec" in "Bitte zahlen" (1921) und Hollaenders "Nachtgespenst" in "Der rote Faden" (1930). Von den Libretti her zeigten sich Nelsons Revuen unentschieden zwischen der satirisch-literarischen Revue Hollaenders und der "Revue mit Kopfputz", wie Nelsons Conférencier Willi Schaeffers den Typus der Haller-Revue nannte.[184]

182. Rez. Vossische Ztg. Berlin, 14.9. 1926.
183. In: Das Verhör, Progr. "Confetti", Gastspiel d. Dt. Th. München, Schumann-Th. Ffm., undat., Thslg. ÖNB Wien.
184. Zit. nach Vossische Ztg. Berlin, 4.10.1927.

Zeitsatirisches, kritisches, oft auch aggressives Kabarett, das Denkanstöße vermitteln wollte und ein hohes intellektuelles Niveau verfolgte, bot Friedrich Hollaender, als Autor und Komponist Erfinder der sogenannten literarischen Kabarettrevue. Die politischen Impulse der ersten Nachkriegszeit rettete diese Form der erweiterten Kleinkunstbühne in eine Phase relativ konsolidierter Verhältnisse, ohne Konzessionen an das Nur-Sinnliche der Schau zu machen. *"Aus einem Thema 10 Variationen: Literatur, Politik und Satire in* **eine** *Form gegossen? Wie hieße diese Form? Revue? Dann müßte es aber eine sein, in der das Fleisch nicht so willig, der Geist nicht so schwach ist."*[185] Hollaender verwirklichte seine Konzeption in seinen Kabarettrevuen, beginnend 1926 mit "Laterna Magica" im Berliner "Renaissancetheater".

Ein Handlungsrahmen, oft nur ein Handlungsort, schuf die dramaturgische Klammer für Szenen und Couplets. Ein typisches und bekanntes Exemplar der Hollaenderschen Kabarettrevue war "Bei uns um die Gedächtniskirche rum" (1927), wie immer ein kritischer Spiegel der gesellschaftlichen Realität der Zeit, diesmal am Beispiel der echten und vermeintlichen Literaten des Romanischen Cafés.[186] Herbert Ihering konnte jubeln: *"Endlich beginnt man in Deutschland einzusehen, daß die Revue die aktuelle, gesprochene, gesungene Zeit ist!"*[187]

Das Chanson wies in den meisten Fällen — und nicht erst bei Hollaender z.B. in "Zwei dunkle Augen, zwei Eier im Glas" aus der eben genannten Revue — ein

185. Friedrich Hollaender, Von Kopf bis Fuß, München 1965, S. 139.
186. Vgl. Georg Zivier, Das Romanische Café, Berlin 1965, S. 97f.
187. Rez. Berliner Börsen-Courier, 28.12.1927.

Dreistrophen-Schema auf: Erklärung von Anlaß und Situation in der ersten, Wendung zum Erotischen in der zweiten und Abwandlung ins Politische in der dritten Strophe.[188]

Der dritte Meister der Berliner Kleinen Revue war Marcellus Schiffer als Autor, der zusammen mit dem Komponisten Mischa Spoliansky u.a. eine so legendäre, weil schon in ihrem Titel zeitsymbolische Kabarettrevue schrieb wie "Es liegt in der Luft" (1928). Dieser Glanzpunkt der mondänen Kleinen Revue ist nicht nur aufgrund Margo Lions und Marlene Dietrichs Duett "Wenn die beste Freundin" in Erinnerung geblieben. Die Gesellschaftssatire auf die snobistische Welt der damaligen Kudamm-Schickeria war *"ein Feuerwerk geist- und giftsprühender Spottraketen . . . Mit einem Wort: Schnoddrigkeit zum Geist erhoben . . ."*[189]

> Willy Prager als Portier im Warenhaus:
> 4. "Gern lese ich in der Rubrik,/ die überschriftet Republik!/ In diesem Wort liegt etwas drin!/ Dann lehne ich mich stolz zurück/ und sag zufrieden vor mich hin:/ Jetzt haben wir 'ne Republik.
>
> Refrain:
> Ich weiß, das ist nicht so, ich weiß, das kommt nicht so, ich weiß, das wird nie sein;/ aber machen Sie was dagegen: Ich bild mir das ein."[190]

Auch in Wien suchte man bald nach dem Erfolg der Ausstattungsrevue eine anspruchsvollere, intimere Form der Revue zu finden, die die dramaturgische Freiheit und den ursprünglich aktuellen Charakter der Revue mit dem satirischen Witz des Kabaretts in Einklang bringen sollte. Bereits nach dem ersten Weltkrieg hatten verschiedene

188. Vgl. Fritz Walter, Rez. "Es kommt jeder dran", Berliner Börsen-Courier, 12.7. 1928.
189. Ludwig Ullmann, Rez. Wiener Allg. Ztg. 5.1.1929.
190. Slow-Fox, Text Klavierauszug, Dt. Staatsbibl. West-Berlin.

Wiener Kleinkunstbühnen wie "Die Hölle", die "Künstlerspiele Pan" und die "Bonbonnière" die Tradition der aktuellen Revue kleineren Formats aufgegriffen, wie sie die Wiener "Femina" seit 1913 gepflegt hatte.

In den zwanziger Jahren reduzierte sich die aktuelle politische Thematik auf harmlos-humoristische Sketche, Conférencen und Parodien mehr unpolitischen Inhalts, deren Nummernfolge meist einem weitgefaßten Leitthema untergeordnet waren, wie "Die große Trommel" als "Lebende Zeitung" im "Modernen Theater" (1925). Eine Ablenkungs- und Kompensationsfunktion verfolgten auch diese Revuen.

Die kabarettistisch-revuehafte Form des Wiener Boulevardtheaters fand nach 1930 ihre Forsetzung in den kleinen Revuen von Karl Farkas und Fritz Grünbaum, während das eigentliche Kabarett in Wien in der Folge der Ereignisse in Deutschland nach 1933 einen Politisierungsprozeß erlebte.

Daneben nahmen in den Zwanzigern und beginnenden Dreißigern die aktuellen Revuen der Wiener "Kammerspiele" eine Position ein zwischen niveauvoller Unterhaltungsrevue Nelsonscher Prägung und Ausstattungsrevue mit mittelgroßem szenischem Apparat. Wiener Publikumserwartung entsprechend konzentrierte sich die Aktualität dieser Kammerrevuen auf lokale, gesellschaftliche und eher unpolitische Ereignisse.

Wiederum war Karl Farkas als Autor, Regisseur und Schauspieler maßgeblich beteiligt. Als der Direktor der "Kammerspiele", Siegfried Geyer, 1924 in einer an Theaterkrisen reichen Zeit die finanzielle Rettung seines Hauses in der Revue suchte, brachte Farkas zusammen mit dem Komponisten und Textautor Robert Katscher die erste "Kammerspiel"-Revue heraus: "Was Frauen träumen". Die im Untertitel angekündigte aktuelle Revue bezog sich weniger auf die Zeitnähe des Inhalts als auf die aktuelle eskapistische Tendenz zum Wunschdenken in Träumen. Der große Erfolg der für Wien neuen Revueform führte zu Nachfolgeversuchen, von "Küsse um Mitternacht" (1924) über "Die Reise um die Halbwelt in 120 Minuten" (1925) bis zu "Bediene dich selbst" (1935).

Politischer in der Satire, mutiger in den aktuellen Attacken war 1926 in den "Kammerspielen" die "A-B-C-Revue", deren Autor Beda, d.i. Fritz Löhner, u.a. ein so brisantes Thema wie das österreichische Bundesheer zu persiflieren wagte, was zu Demonstrationen und einem Gerichtsverfahren führte.[191] Bedas zweiter Versuch einer aktuellen politischen Satire in einer "Kammerspiel"-Revue, "Pst! Madame Republik", 1927 gemeinsam mit Florian unternommen, wollte eine Persiflage der österreichischen Gegenwart und Vergangenheit sein. Willi Forst assistierte Elsie Altmann als "Madame Republik", die u.a. in einem Schönheitssalon behandelt werden muß, um weiterhin den Sturzversuchen ihrer Verehrer zu widerstehen.[192]

Als Kurt Robitschek, Mitbegründer des Berliner "Kabarett der Komiker" 1933 Deutschland verlassen mußte, übernahm er im Herbst desselben Jahres die Leitung der Wiener "Kammerspiele". Als "Bühne des Lachens" suchte er sie in der Tradition des legendären Kadeko zu führen, verbunden mit dem in den "Kammerspielen" bereits traditionellen Genre der Kammerrevue.

191. Vgl. NFP Wien, Abendblatt, 5.8. 1927.
192. Vgl. Wiener Allg. Ztg., 25.12. 1927.

Entsprechend lauteten die Titel seiner Programme, wie die "Wiener Illustrierte" (1933), eine Reprise der gesprochenen satirischen Zeitung. Trotz aktueller Bezugnahme wollte Robitschek Politik verpönt sein lassen. *"Aktuelle Satire muß vorsichtig dosiert sein werden, weil alle Betroffenen empfindlicher geworden sind."*[193] Ein satirischer Kritiker seiner Zeit und Zeitgenossen resignierte und zog sich in die Unverbindlichkeit der unpolitischen Witzelei zurück. Doch auch damit erzielte Robitschek nicht den erhofften Erfolg, da sich das Wiener Publikum dem vermeintlichen Kurfürstendamm-Export gegenüber reserviert verhielt und den Lachrevuen der Farkas und Grünbaum den Vorzug gab.

A. Revuefilm

Von allen theatralischen Gattungen war die Ausstattungsrevue am direktesten in Konkurrenz zum aufkommenden Film getreten, indem sie Mittel des neuen Mediums zu übernehmen suchte. In ihrer Bilderfolge imitierte sie die Motorik des Films, in der Sensation des äußeren Aufwands versuchte sie ihm gleichzubleiben. *"Dabei mußte der Film, als der jüngere, gewinnen . . . Als das Theater vor dem Effekt kapitulierte und den Geist aufgab, rettete es sich als Betrieb, um sich als selbständige Energie zu zerstören."*[194]

193. Kurt Robitschek in: Die Frechheit, Das Programm der Kammerspiele, Jg. 10, H.1, 1933/34, S. 2f.
194. Herbert Ihering, Von Reinhardt bis Brecht, Bd. 1, Berlin 1958, S. 75.

Als Mitte der zwanziger Jahre die Attraktivität des Stummfilms aufgrund des populär werdenden Radios nachließ, suchten vor allem die amerikanischen Filmgesellschaften nach neuen Erfolgsrezepten für ihr Medium. Und die allgemeine Beobachtung, daß kommerzielle wie politische Interessen technische Erfindungen stimulieren, bestätigte sich im speziellen Fall in der technischen Vervollkommnung des Tonfilms, der Ende der Zwanziger von den USA aus seinen Siegeszug antrat.

Daß die weltweite Verbreitung und Popularität des Tonfilms mit dem abnehmenden Interesse des deutschsprachigen Publikums an der Ausstattungsrevue in den Jahren 1928/29 zusammenfielen, erscheint nicht zufällig. Triviale Unterhaltungsmedien sind neben der sozialen Disposition des Publikums besonders Moden und damit einem zeitlichen Wandel unterworfen, so daß zu diesem Zeitpunkt die Funktion des Eskapismus-Lieferanten von der Ausstattungsrevue auf den Film und, wie wir sahen, die alte Operette überging.

Der Tonfilm zeigte vor allem in den Musik- und Revuefilmen Elemente der Bühnen-Ausstattungsrevue. Aufgrund seiner technischen Gegebenheiten konnte er die Schau perfektionieren. Deren Wirkung war nicht mehr ausschließlich auf die mehr oder minder große Bühnentotale beschränkt, sondern verstärkte sich durch die Variationsmöglichkeit der Kameraführung von der Nahaufnahme bis zur Totalen. Und vergleichsweise höhere Produktionskosten ließen sich durch den nationalen, oft auch internationalen Einsatz der Filme wiedereinspielen. Die Großstadtkinos entwickelten sich zu "Palästen der Zerstreuung"[195] und das schon äußerlich

195. Siegfried Kracauer, Kult der Zerstreuung. Über die Berliner Lichtspielhäuser. In: Das Ornament der Masse, Ffm. 1963, S. 311.

in ihrer pompösen Architektur. Die Filmvorführung wurde von Bühnendarbietungen mit Variaténummern und Orchesterspiel umrahmt, so daß aus dem Kintopp der Stummfilmzeit eine neues Unterhaltungsmosaik entstand: das "Gesamtkunstwerk der Effekte"[196].

Mit dem Tonfilm begann die Geschichte des Musical- und Revuefilms.[197] Diese Musikfilme übernahmen die Schaukomponente der Revue und integrierten sie in eine dramaturgisch notwendige Handlung. Hollywood hatte diesen Weg mit dem ersten abendfüllenden Tonfilm der Geschichte initiiert: "The Jazz Singer" von Alan Crosland mit Al Jolson (1927). Dieser Film präformierte zugleich das in den nachfolgenden Musikfilmen meist variierte Handlungsschema vom Aufstieg eines unbekannten Darstellers zum gefeierten Theaterstar, verbunden mit einer Liebesgeschichte des Protagonisten. Dieses Aschenbrödelmotiv im Theatermilieu reproduzierte die gesellschaftliche Realität des Kapitalismus und seines Leistungsprinzips: Karriere, äußeres Ansehen und materieller Gewinn stehen auch in den Filmen im Vordergrund des Strebens der Helden, affirmative Inhalte also, die der mit einer Handlung verbundene Revuefilm eher als die zum Eskapismus verleitende Bühnenrevue vermitteln konnte. In den Schaunummern der Filme aber wurden irreale Traumwelten geschaffen, besonders in den ersten Boomjahren des amerikanischen Tonfilms zwischen 1929 und 1931, als in der Folge der weltweiten Wirtschaftskrise der Wunsch nach Realitätsflucht wuchs.

Hollywoods Revuefilme der Dreißiger, etwa die beispielgebenden des Choreographen Busby Berkely, liefer-

196. Kracauer, a.a.O., S. 312.
197. Vgl. zur Geschichte des Film-Musicals: John Kobal, Gotta Sing, Gotta Dance, London usw. 1970.

ten die Muster für die deutschen und österreichischen Produktionen auf diesem Gebiet des Unterhaltungsfilms. Die Musikfilme der im Dritten Reich monopolistischen deutschen Universum-Film-AG (UFA) überzogen das Land mit unrealistischen, ablenkenden Filmen, die infolge der Boykottierung ausländischer Produktionen einheimische Stars herausstellten. Marika Rökk wurde zu einer Art deutschen Ginger Rogers, etwa in Apotheosen des Steptanzes auf schwarzen Spiegelböden, wie sie Filme wie "Kora Terry"[198] (1940) oder auch "Die Frau meiner Träume"[199] (1944) darstellten. Der größte weibliche Star des deutschen Films vor 1945, Zarah Leander, war für dieses Medium 1937 in dem Revuefilm "Premiere"[200] entdeckt worden. Als Vehikel für die Präsentation von Stars diente die Mehrzahl der in- und ausländischen Revuefilme, so u.a. auch der deutsche Revuefilm "Es leuchten die Sterne"[201] (1938), der neben der Tänzerin La Jana gleich drei Dutzend damaliger Publikumslieblinge von Bühne, Film und vom Sport in kleinen und kleinsten Episoden Revue passieren ließ.

Nach den anfänglich großen Erfolgen der Revuefilme amerikanischer wie europäischer Herkunft beendeten die fünfziger Jahre die Ära des aufwendigen Musikfilms. Das Fernsehen übernahm seine Funktion. Verfilmungen von Broadway-Musicals wie Gene Kelly's "Hello Dolly" (1969) wirkten wie verspätete Nachrufe auf ein abgeschlossenes Kapitel der Filmgeschichte.

198. Regie Georg Jacoby.
199. Ebenfalls von G. Jacoby.
200. Regie Geza von Bolvary.
201. Buch u. Regie Hans H. Zerlett.

D. Einflüsse der Revue auf das Theater der Zeit:

a. Max Reinhardt

Sowohl der Vollender des illusionistischen Theaters als auch einer seiner Überwinder blieben in ihren Berliner Jahren vor 1933 von der Revue nicht unbeeinflußt. Reinhardt mußte das visuelle, illusionsschaffende Element der Revue in seinem Sinn für das Theatralische und die Theatralisierung der Wirklichkeit ansprechen. Im Unterschied zur Ausstattunsgrevue suchte Reinhardt das visuelle Element nicht als äußerlichen, verabsolutierenden Effekt zu verwenden, sondern als integriertes Funktionselement in einem Gesamtkunstwerk theatralischer Mittel, das die übrigen steigern und vervollkommnen konnte.

Die Rückgriffe auf die musikalische Pantomime, das orientalische Märchen "Sumurun"[202] z.B. und vor allem das Mysterienspiel "Das Mirakel"[203], verrieten in den Effekten des äußeren Aufwands und der Tendenz zur Masseninszenierung die Nähe der im deutschen Sprachraum zu diesem Zeitpunkt aufkommenden großen Revue. Vor allem aber manifestierten sich die Anregungen dieses Genres in den Operetteninszenierungen Reinhardts. In Offenbachs "Die schöne Helena"[204]

202. Von Friedr. Freska, Musik Victor Holländer, Ausstattung Ernst Stern; Dt. Theater Berlin 1909/10.
203. Von Carl Vollmoeller, Musik Engelbert Humperdinck; UA Olympia-Hall London 1911; weitere Inszenierungen in Berlin, Wien, New York.
204. Münchener Künstlertheater 1909, 1911.

nahm er gewisse Revuekomponenten vorweg, als *"acht englische Tanzgirls . . . erstmals auf einer kontinentalen Bühne und erstmals ohne Beintrikot zu sehen waren"*[205]. Und die Verwendung des in "Sumurun" eingeführten japanischen Blumensteges durch den Zuschauerraum *"brachte Reinhardt reiche Möglichkeiten für eine dynamische und vom Tanz beherrschte Regie"*[206], womit er *"die erste Schöpfung einer Operetten-Revue"*[207] zeigte.

Im Gegensatz zur herkömmlichen Revueoperette, die den Handlungsgang durch Balletteinlagen unmotiviert unterbrach, war es Reinhardts Ziel, Text und Musik organisch in Visuellem auf der Basis des Tanzes aufzulösen. Das galt besonders für die Einstudierung der "Fledermaus" von Johann Strauß.[208] *"Sie muß getanzt werden"* schrieb Reinhardt[209], und er befolgte dies in seiner Inszenierung, die die Strauß-Walzer leitmotivisch visualisierte. Ein pantomimisch-tänzerisches Vorspiel[210] mit Doktor Falke leitete zum ersten Akt hinüber. Der zweite Akt war auf vier Schauplätze verteilt, wobei die Gäste des Orlofskyschen Festes zu Beginn die sich drehende Szenerie aus Garderobe, Buffet, Garten und Festsaal tanzend betraten.[211] Die Verbindung zum Schautheater der Revue war bei Reinhardt äußerlich bereits durch die Zusammenarbeit mit Ausstattern wie

205. Max Reinhardt u. das Musiktheater, Katalog der Ausstellung, Salzburg 1969, S. 14.
206. M. Reinhardt u. das Musiktheater, a.a.O., S. 14.
207. Heinz Kindermann, Theatergeschichte Europas, VIII, Salzburg 1968, S. 624.
208. Dt. Theater Berlin 1929 u. weitere.
209. Brief v. 13.10. 1937, in: Gusti Adler, M. Reinhardt, sein Leben, Salzburg 1964, S. 201.
210. Neubearbeitung des franz. Originals v. Benedix.
211. Vgl. M. Reinhardt u. das Musiktheater, a.a.O., S. 9.

Ernst Stern[212], Ludwig Kainer[213] und Ladislaus Czettel[214] gegeben. Stern, Reinhardts Bühnenbildner der frühen Berliner Zeit, stattete später die Revuen Erik Charells aus, die — symbolträchtiger Zufall und zugleich Erhellung der Situation — im Berliner "Großen Schauspielhaus" aufgeführt wurden, das Reinhardt 1919 als Erneuerungsstätte antiker und klassischer Dramatik konzipiert hatte. Doch die Mehrzahl des Publikums versagte sich dem geistigen Anspruch der Werke und erhob die Schau zum Absoluten. Reinhardt scheiterte im "Großen Schauspielhaus", in das die Revue einzog, deren Stilmittel auch in Reinhardts Theater einflossen.

b. Erwin Piscator

Erwin Piscator, in seinem politisch engagierten Theater[215] eine Antithese Reinhardts, übernahm aus der Revue das formale Prinzip der Szenenreihung und -collage und stellte es in den Dienst politischer Agitation. Seine "Revue Roter Rummel" (RRR)[216] bezweckte 1924

212. Ausstattung "Die schöne Helena", "Orpheus in der Unterwelt".
213. Ausstattung "Die Fledermaus".
214. Kostüme "Die schöne Helena", Berlin 1931.
215. Vgl. u.a. Günther Rühle, Die zehn Taten d. E. Piscator, Rede anläßlich d. Eröffnung der Piscator-Konferenz d. Akad. d. Künste, West-Berlin 1971. In: Theater heute, 1971, H. 11, S. 3ff.
216. Text zus. mit Felix Gasbarra, 1924 in versch. Berliner Bezirkssälen aufgeführt.

als politisch-proletarische Revue[217] Propaganda für die Kommunistische Partei aus Anlaß der Reichstagswahlen.[218] *"Revolutionäre Revue. Keine Revue, wie sie damals Haller, Charell und Klein brachten, mit aus Amerika und Paris importierten Shows. Unsere Revuen kamen von einer anderen Seite. Sie hatten ihre Vorläufer in den bunten Abenden, wie ich sie zusammen mit der Internationalen Arbeiterhilfe (I.A.H.) veranstaltet hatte."*[219] Piscator hatte die Herkunft der Revue aus dem Zerfall bürgerlicher Dramenformen erkannt und machte sich die Vielzahl der Elemente der Revue zunutze, die ihrer Wirkung Direktheit und eine gewisse Naivität verliehen. Bemerkenswert ist dabei, eine Verschmelzung von Formelementen und Wirkungsmöglichkeiten der für Piscator und seine Vorgänger in der UdSSR spätkapitalistisch-dekadenten Revue mit den rein artistischen Formen des Varietés festzustellen. Dessen auf perfekter Beherrschung der Technik beruhende Einzelelemente, wie die Akrobatik, hatten durch die Vermittlung des japanischen und chinesischen Theaters neue Wertschätzung in Europa gefunden. Der theatralischen Auflösungserscheinung Revue hielt man die ganz im *"Sinnlichen wurzelnde Dramatik und Vitalität"*[220] der Artistik entgegen. Die Nummernfolge, die in Piscators "Revue Roter Rummel" ganz in Revuetradition mit Compère, hier als Typ des

217. Theorie und Praxis der Politrevue hatten Regisseure in der Sowjetunion entwickelt, z.B. Ewrejnow mit dem Massenspiel "Erstürmung des Winterpalastes", Petrograd 1920.
218. Vgl. Erwin Piscator, Das Politische Theater, Reinbek b. Hamburg 1963, S. 65 u. Ludwig Hoffmann u. Daniel Hoffmann-Ostwald, Dt. Arbeitertheater 1918–1933, 2. Bde., 2., erw. Aufl., München 1973.
219. Piscator, a.a.O., S. 65.
220. Georg Fuchs, Varieté. In: Die Revolution des Theaters, München-Leipzig 1909, S. 180.

"Prolet", und Commère als "Bourgeois" verbunden wurde,[221] variierte mit *"Musik, Chanson, Akrobatik, Schnellzeichnung, Sport, Projektion, Statistik, Schauspielerszene, Ansprache"*[222] aktuelle, zeit- und gesellschaftskritische Szenen aus dem Berlin der zwanziger Jahre mit dem Ziel der Gewinnung der Massen für die Partei. Die Typen "Prolet" und "Bourgeois" führten durch die Revue und kommentierten jeder auf seine Weise die Vorgänge. Man erlebte *"Ackerstraße — Kurfürstendamm, Mietskasernen — Sektdielen, Blaugoldstrotzender Portier — bettelnder Kriegskrüppel . . . Zwischen den Szenen: Leinwand, Kino, statistische Zahlen"*[223], kurz: dialektische Szenen gesellschaftlicher Realität, aufbereitet mit den Mitteln Piscatorschen Dokumentartheaters, das sich des Collagen-Prinzips der Revue bediente. Dabei wurde die Musik, hier von Edmund Meisel, als selbständiges dramaturgisches Mittel eingesetzt und nicht nur zur Untermalung und Illustrierung.

Piscators erste proletarische Revue, bei der Arbeiter und Schauspieler aus Berlin mitwirkten, löste eine ausgesprochene Revuebewegung aus, die von Berlin in die Industriezentren Deutschlands vordrang. Wichtigster Träger wurde der Kommunistische Jugendverband Deutschlands (KJVD). Mit sogenannten "Roten Rummeln"[224] als "Rote Revuen" begann der KJVD im Jahre 1925 seine Agita-

221. Vgl. Piscator, a.a.O., S. 65f.
222. Ebenda.
223. Jakob Altmeier, Wie es anfing, zit. bei Piscator, a.a.O., S. 66.
224. Erster "Roter Rummel" am 25.8. 1925 in den Berliner Sophiensälen. Weitere Spieltrupps u.a.: "Rote Raketen" in Berlin, "Die Nieter" in Hamburg, "Blaue Blusen" in Köln.

tion zu beleben, um die Masse der jungen Arbeiter anzusprechen. Darsteller waren Mitglieder des KJVD, die in satirischen Szenen aktuelle Themen aufgriffen.[225]

Als historische Revue realisierte Piscator 1925 das zusammen mit Gasbarra verfaßte politische Dokumentarstück "Trotz alledem!"[226], das *"in verkürzter Form die revolutionären Höhepunkte der menschlichen Geschichte . . . und zugleich in Lehrbildern . . . einen Abriß des gesamten historischen Materialismus geben sollte"*[227]. Ausgehend vom titelgebenden Liebknechtwort entstand eine politische Bilderfolge, die sich auf den Zeitabschnitt von 1914 bis zur Ermordung von Karl Liebknecht und Rosa Luxemburg konzentrierte. Neu an der Form dieser politischen Revue war die Einbeziehung von Filmen, Fotografien und Textzitaten als historische Dokumente.

Das formal-dramaturgische Schema der Revue diente Piscator außerdem bei seiner Inzenierung von Ernst Tollers aktueller Zeitrevue "Hoppla, wir leben!" (1927).

225. Vgl. Hoffmann/Hoffmann-Ostwald, Bd. 1, a.a.O., S. 185ff.
226. Musik Edmund Meisel; Gr. Schauspielhaus Berlin, 12.7. 1925, aus Anlaß des X. Parteitages der KPD. Zunächst als Freilichtaufführung für das Arbeiter-Kultur-Kartell geplant.
227. Piscator, a.a.O., S. 70.

6. Perspektiven der Revue heute: Gegenwart in Vergangenheit

Nach 1945 kann von einer Renaissance der Ausstattungsrevue im deutschen Sprachraum nicht die Rede sein. Die großen Operettentheater und ehemaligen Revuebühnen waren zerstört, lediglich kleine und kleinste Revuekabaretts und Varietétheater öffneten über Nacht ihre Pforten und verschwanden ebenso rasch wieder, als das Fernsehen zunehmende Verbreitung fand.

Die dramaturgische Form der Revue, das Reihungsprinzip der Nummernfolge und die Technik der Szenencollage blieben weiterhin wirksam und verwiesen auf den ursprünglichen Charakter der Revue als aktuelle, im weiten Sinne politische Theatergattung. In den sechziger Jahren vor allem entstanden Stücke mit Revuetechnik, zeitkritische Szenenfolgen, angeregt u.a. von Joan Littlewoods Antikriegsrevue "Oh, what a lovely war" (London 1963) und Peter Brooks Vietnam-Stück "US" (London 1966). Zu nennen wären etwa Wilfried Minks "Gewidmet: Friedrich dem Großen, Bericht in Form einer Revue" (Bremen 1968) und als jüngste Beispiele die 1974 von mehreren Bühnen der Bundesrepublik wiederaufgenommene zeitgeschichtliche "Revue der Stunde Null: Schwarzer Jahrmarkt" von Günther Neumann und die politische "Ruhrkampf-Revue" des Westfälischen Landestheaters von Yaak Karsunke aus dem Jahre 1975.

Einmal förderte die Politisierung des Theaters zu Ende der Sechziger in den westeuropäischen Ländern ein Wiederaufleben des politischen Stücks in Revueform als szenische Collage. Gleichzeitig ließ sich besonders in den romanischen Ländern die Tendenz beobachten, die Revueform zur Re-Theatralisierung des Theaters zu verwenden, als eine dramaturgisch offene Form, die Mittel verschiedener Gattungen multimedial vereinigt und erweiterte Möglichkeiten des theatralischen Ausdrucks bietet. So sei an Jean-Louis Barraults "Rabelais" im Pariser Catcherring erinnert (1968), an Luca Ronconis Inszenierung des Ariostschen "Orlando Furioso" (1969) und an Ariane Mnouchkines Revolutionsspektakel "1789" (1970).

Die Revue als spektakuläres Glamourpotpourri und bunter Abend unterhaltsamer Trivialitäten existiert seit den fünfziger Jahren nur mehr in wenigen Formen und Ländern. Abgesehen von der internationalen Eisrevue lebt sie fort auf den Bühnen der Fremden- und Vergnügungsindustrie von Paris, London, Tokio und Las Vegas. Dort erschöpft sie sich als Touristenpflichtstück in manierierter Imitation aus dem Geiste der Nostalgie in ihren alten Form- und Inhaltsstereotypen. Im deutschen Sprachraum existiert noch im Berliner "Friedrichstadt-Palast" die große Bühnenrevue mit einem Programm aus Musik, Tanz und Artistik.

Während die Operette anscheinend nicht stirbt, weil das angloamerikanische Musical im deutschsprachigen Raum nicht ihre Stelle einzunehmen vermag, hat sich die Ausstattungsrevue neben dem Varieté als die am meisten zeit- wie gesellschaftsbedingte Theaterform der Moderne erwiesen. Der Konkurrenz der technischen Medien Film und Fernsehen konnte sie nicht standhalten.

Gerade das Fernsehen als auch optisch vermittelndes Massenmedium übernahm Ausstattungselemente der Revue vor allem in seine Shows mit ihrer heute bereits nicht mehr mediengerechten Reihung von Gesangs- und Tanznummern. Film und Fernsehen können Unterhaltung in technisch unüberbietbarer Perfektion produzieren. Im Vergleich mit dem Theater fehlt der Reiz des hic et nunc, der als purer Schauwert auf der Bühne noch immer eine Attraktion darstellen kann. Revuemäßig aufwendige Inszenierungen wie die der Lehárschen "Lustigen Witwe" durch den Choreographen John Cranko (Stuttgart 1970) oder des Musicals "Hallo Dolly" im Berliner "Metropoltheater" (1970) bewiesen dies. "*Doch bezeugt der Film der Erinnerung, daß Genußsucht nicht tot ist; man wird süchtig nach Verpöntem.*"[228] Und Theodor W. Adorno: "*Im Zeitalter der Commercials* [Fernsehfilmserien; d.Verf.] *ergreift einen Heimweh nach den alten Broadway Melodies.*"[229]

Den hier angesprochenen nostalgischen Reiz der Revue benutzen in der Gegenwart Theatermacher, um in der Zitierung der historischen Revueform deren immanente Möglichkeit für eine Verbindung aus schauwertiger Unterhaltung und kritischem Inhalt zu aktivieren und dadurch die zweite Dimension des 'Gemeinten' hinter der eindimensionalen Oberfläche der Schau deutlich zu machen.[230] Ein solches Bestreben lag Dorst/ Zadeks zeitgeschichtlicher Revue nach Falladas

228. Siegfried Melchinger, Rez. in: Theater heute, 1971, H. 5, S. 16.
229. Leichte Musik, a.a.O., S. 201.
230. Vgl. Günter Rühles Kritik: Schwierigkeiten mit der Revue, Das kunstseidene Mädchen, Bremen 1973, Frankfurter Allg., 7.5. 1973.

"Kleiner Mann, was nun?" (Bochum 1972) ebenso zugrunde wie Heymes Inszenierung der "Dreigroschenoper" (Köln 1975).

Versuche, die Oper als eine verschiedene Kunst- und Kommunikationsmittel vereinende Theaterform multimedial zu gebrauchen, etwa in Hans Ulrich Engelmanns "Revue" (Bonn 1973) haben sich als singuläre Experimente erwiesen, die Musik-, Text- und Bildzitate in fast handlungslosen Aktionen zu sinnlicher Opulenz zusammenzufassen versuchten.

Es erscheint dem Verfasser fraglich, ob der Revue, und vornehmlich der Ausstattungsrevue, in ihrer historischen Form ein Comeback möglich sein könnte. Zu sehr stellt sie nach Meinung des Verfassers ein Zeitphänomen dar mit spezifischen Voraussetzungen und Bedingungen, als daß sie noch einmal jenen Grad des fast absurden l'art pour l'art erreichen könnte, den etwa die amerikanischen Revuefilme Berkelys dokumentieren. In der Einbringung der szenischen Form der Revue in das Theater der Gegenwart im Hinblick auf die Suche nach einem totalen Spectaculum liegt eine Möglichkeit ihres Fortbestehens. Und als Verweis auf Vorstellungsinhalte und Unterhaltungsmuster bestimmter Epochen wird die große Revue ihren Stellenwert behalten.

Anhang

1. Verzeichnis der hauptsächlich genannten Regisseure, Produzenten bzw. Theaterdirektoren der zwanziger Jahre und ihrer Revuen[231]

A. Erik Charell
Berlin — Großes Schauspielhaus

1924 An Alle! — 18.10. 30.4.1925

Ausstattungsrevue in 21 Bildern — Beda (d.i. Fritz Löhner), Willy Prager — Ralph Benatzky, Rudolf Nelson, Irving Berlin — Ernst Stern, Walter Trier, René Hubert — Erik Charell, John Tiller — Erik Charell — Margo Lion, Cordy Millowitsch, Josefine Dora, Claire Waldoff, Wilhelm Bendow, Leo Peukert, Oscar Sabo, André Mattoni, John-Tiller-Girls — Gastspiel Ronacher Wien, 4. 3. — 1. 4. 1925

1925 Für Dich! — 1.9. — 29.4.1926

Ausstattungsrevue in 24 Bildern — Erik Charell, Gesangstexte Ralph Benatzky — R. Benatzky — Ernst Stern, Walter Trier — Erik Charell, Billy Revel — E. Charell — Irene Ambrus, Walter Jankuhn, Wilhelm Bendow, Paul Morgan, Jackson-Girls

231. Schema: Jahr — Titel Datum der Premiere und Derniere bei Serienaufführungen — Revuetyp — Text — Musik — Ausstattung — Choreographie — Regie — Hauptdarsteller — Sonstiges.

1926 Von Mund zu Mund — 1.9. — 28.2.1927
Ausstattungsrevue in 2 Akten — Erik Charell, Hans Reimann — Ausstattung Ernst Stern, Kostüme Walter Trier — Regie E. Charell — Claire Waldoff, Wilhelm Bendow, Curt Bois, Hans Wassmann

B. Herman Haller
Berlin — Theater im Admiralpalast

1923 Drunter und Drüber — 7.9. — 17.8.1924
Ausstattungsrevue in 3 Akten — Herman Haller, Rideamus (d.i. Fritz Oliven), Willi Wolff — Walter Kollo — Emil Pirchan — Alfred Jackson — Erich Poremski — Uschi Elleot, Molly Wessely, Kurt Lilien, Willi Schaeffers

1924 Noch und Noch — 23.8. — 31.3.1925
Ausstattungsrevue in 50 Bildern — Herman Haller, Rideamus, Willi Wolff — Walter Kollo — Haas-Heye — Robert Négrel — Hermann Feiner — Kurt Lilien, Max Ehrlich, Edmonde Guy, Ernest van Düren, Lawrence-Tiller-Girls

1925 Achtung! Welle 505! — 19.8. — 31.3.1926
Ausstattungsrevue — Herman Haller, Rideamus, Willi Wolff — Walter Kollo — Paul Leni, Marco Montedoro, Ladislaus Czettel, Gesmar, Brunelleschi, Erté, Aumont — Regie Hermann Feiner — Alice Hechy, Claire Bauroff, Endja Mogoul, Max Ehrlich, Kurt Lilien, Tiller-Girls — Gastspiel Apollo Wien, 3. — 31.4.1926

1926 An und Aus — 18.8. — 22.3.1927
Ausstattungsrevue in 50 Bildern — Herman Haller, Rideamus, Willi Wolff — Walter Kollo — Ludwig Kainer — Robert Négrel — Hermann Feiner —

Trude Hesterberg, Steffi Bissing, Alice Hechy, La
Jana, Ruth Zackey, Paul Morgan, Max Ehrlich,
Kurt Lilien, Curt Fuß, Lawrence-Tiller-Girls —
Gastspiel Apollo Wien, 25.3. — 28.4.1927, ab
1.5.1927 in Dresden

1927 **Wann und Wo** — 2.9. — 25.3.1928
Ausstattungsrevue — Herman Haller, Rideamus,
Willi Wolff — Walter Kollo — Ludwig Kainer —
Regie Hermann Feiner — Filme Willi Wolff —
Trude Hesterberg, Marcelle Rhana, Max Ehrlich,
Paul Cramer, Curt Fuß, Paul Morgan, Lawrence-
Tiller-Girls — Gastspiel Apollo Wien, 27.3. —
29.4.1928, mit Fritz Wiesenthal, Kurt Lilien

1928 **Schön und Schick** — 21.8. — 11.2.1929
Ausstattungsrevue in 50 Bildern — Herman Haller,
Marcellus Schiffer, Gesangstexte M. Schiffer,
Hanns Heinz Haller jr., Charles Amberger — Sieg-
wart Ehrlich — Josef Fennecker, Walter Trier,
Gesmar, Erté — Max Scheck — Hermann Feiner —
Lea Seidl, Rosa Valetti, Margarete Schlegel, Hans
Brausewetter, Hubert von Meyerinck, Kurt Lilien,
Fritz Wiesenthal, Delia Lipinskaja, Lawrence-
Tiller-Girls

C. James Klein
Berlin — Komische Oper

1922 **Europa spricht davon** — 16.9. — 30.4.1923
Ausstattungsrevue in 21 Bildern — James Klein,
Karl Bretschneider — Ausstattung René Hubert —
Alfred Jackson — James Klein — Else Reval, Max
Landa, Bruno Kastner, Arnold Rieck — Gastspiel
Apollo Wien, 5.5. — 30.6.1923, Wiederaufnahme
Apollo Berlin, Oktober—Dezember 1923

1923 **Die Welt ohne Schleier** — 9.10. — 30.3.1924
Ausstattungsrevue — James Klein, Karl Bretschneider, Felix Wolff, Gesangstexte Alfred Berg — Regie J. Klein — Else Berna, Madge Lessing, Rosa Felsegg, Liese Thiersch, Else Reval, Bruno Kastner, Arnold Rieck, Paul Westermeier

1924 **Das hat die Welt noch nicht geseh'n** — 29.8.—9/25
Ausstattungsrevue — James Klein, Paul Morgan, Karl Bretschneider, Gesangstexte Alfred Berg — Hugo Hirsch — Regie J. Klein — Else Berna, Lotte Werkmeister, Leo Slezak, Paul Westermeier, Richard Senius

1925 **Von A—Z** — 3.10. — 3/1926
Ausstattungsrevue in 46 Bildern — Gustav Rickelt, James Klein, Einlagen Leo Heller, Georg Schmidt— Ausstattung Hugo Baruch, Max Weldy — Jan Trojanowski — J. Klein — Elisabeth Balzer, Olly Stüwen, Paul Beckers, Paul Westermeier

1926 **Berlin ohne Hemd** — (Mitte März) — 31.8.
Ausstattungsrevue — James Klein — Mit Hans Albers u.a.

1927 **Die Sünden der Welt** — 29.1. — 5/1927
Ausstattungsrevue in 24 Bildern — James Klein — Regie J. Klein — Vicky Werkmeister, Edith Schollwer, Hans Albers

1927 **Streng Verboten** — Mitte 5 — Ende 9
Ausstattungsrevuc von James Klein

1927 **Die Welt applaudiert** (Alles nackt) — 1.10.
Ausstattungsrevue — James Klein, Karl Bretschneider, Rosenheym-Boelle, Igel — ursprünglich "Die Sünden der Welt" s.o.

1928 Zieh dich aus — 2/ — 7.9.
Revuestück von James Klein

1928 Donnerwetter — 1000 Frauen! — 8.9.
Ausstattungsrevue in 42 Bildern — James Klein —
Franz Doelle — Mit Vicky Werkmeister, Grete
Weiser, Christl Storm, Hans Albers, Paul Wester-
meier

1928 Häuser der Liebe — (Oktober/November) —
15.1.1929
Revue-Sensationsstück von James Klein

1929 Paradies der süßen Frauen — 16.1. — 24.3.
Revue-Sensationsstück von James Klein

1929 Von Bettchen zu Bettchen — 30.3.—24.4.
Revueposse von James Klein

D. Hubert Marischka
Wien — Stadttheater

1926 Wien lacht wieder — 2.10. — 20.9.1927
Ausstattungsrevue in 30 Bildern — Karl Farkas,
Fritz Grünbaum — Ralph Benatzky — Alfred
Kunz, Lilian, Gesmar, Zamora, Ernst Stern, Ferdi-
nand Moser, Delattre — Franz Heigl — Hubert
Marischka, Karl Farkas — Dora Duby, Rita Georg,
Elsie Percival, Mimi Shorp, Mizzi Zwerenz, Elsie
Altmann, Karl Farkas, Fritz Grünbaum, Hans
Unterkircher, George Shurley, Hippodrome-Girls
— ab 21.9.1927 Raimundtheater Wien, mit Paula
Brosig, Cilly Tögel, Lori Wolfegger, Josef Viktora,
Fritz Puchstein, Franz Schöber, Heinrich Pirk,
Alexander Herrnfeld; Gastspiel in den Niederlan-
den Mai—Juli 1929; Wiederaufnahme Stadttheater
Wien, 1.8.1929 — Ende 10/1929

1927 **Alles aus Liebe** — 1.10. — 28.3.1928

Ausstattungsrevue in 50 Bildern — Karl Farkas,
Ernst Marischka — Ralph Benatzky — Alfred
Kunz, Lilian — Franz Heigl — Hubert Marischka —
Anny Coty, La Jana, Karl Farkas, Hans Moser,
Hans Unterkircher, Sigi Hofer, The Rowe Sisters,
Alfred Jacksons Violet Girls — Auslandstournee:
April 1928: Leipzig, Mai: Hamburg, Sommer:
Amsterdam, Den Haag, Dezember: Mannheim

E. Emil Schwarz

1923 **Wien gib acht** — Wien — Ronacher —
4.11. — 19.3.1924

Ausstattungsrevue in 13 Bildern — Bruno Hardt,
Karl Farkas — Fritz Lehner — Montedoro, Ladis-
laus Czettel, Dekorationen Remigius Geyling,
Montedoro, Gilbert Lehner — Gustav Neuber —
Emil Schwarz, Eduard Sekler — Alice Hechy,
Christl Mardayn, Lissy Jungkurth, Hans Albers,
Arnold Korff, Hans Moser, Gustav Müller, Jansen-
Jakobs, Gisa Wurzel, Edmonde Guy, Ernest van
Düren, 6 London Beauties — Gastspiel Lessing-
theater Berlin, 16.8. — 27.11.1924

1924 **Alles per Radio** — Wien — Ronacher —
21.3. — 29.4.

Ausstattungsrevue in 16 Bildern — Karl Farkas,
Gustav Beer — Fritz Lehner — Ernst Fischer —
Gustav Neuber — Emil Schwarz, Eduard Sekler —
Claude France, Hans Moser, Fritz Heller, Lilian
Harvey

1925 **Der, Die, Das** — Wien — Ronacher
2.9. — 29.9.

Ausstattunsgrevue in 20 Bildern — Emil Schwarz, Hans Pflanzer — Fritz Lehner — Montedoro, Gesmar, Ladislaus Czettel, Ronsin — Gustav Neuber — Emil Schwarz, Joe Furtner — Paula Brosig, Lo Ethoff, Ilona Karolewna, August Hartner, Harry Stollberg, Stanley Sisters

1926 **Der Zug nach dem Westen** —Berlin — Theater des Westens — 7.8. — 14.11
Ausstattungsrevue in 30 Bildern — Bruno Hardt-Warden, Willi Kollo — Mêlé, Fritz Lehner, W. Kollo, Egen u.a. — Ladislaus Czettel, Leo Impekoven, Max Weldy — Gustav Neuber — Emil Schwarz — Lotte Werkmeister, Gisa Wurzel, Willi Forst, Willi Fritsch, Otto Wallburg, August Hartner — Gastspiel Apollo Wien, 1.1. — 28.2.1927

1927 **Wissen Sie schon** — Berlin — Theater des Westens— 18.3. — 15.5.
Ausstattungsrevue in 25 Bildern — Emil Schwarz, Bruno Hardt-Warden — Fritz Lehner u.a. — Ladislaus Czettel, Montedoro — Gustav Neuber — Emil Schwarz, Martin Zickel — Hilde Falk, Willi Forst, Hugo Fischer-Köppe, Didier Aslan, August Hartner, Alfred-Jackson-Girls

1928 **Sie werden lachen** — Wien — Stadttheater — 9.10. — 22.2.1929
Ausstattungsrevue — Karl Farkas, Emil Schwarz — Fritz Lehner — Ladislaus Czettel, Zamora, Gesmar, Stella Weißenberg-Junker — Franz Bauer — Mit Karl Farkas, Christl Mardayn, Trude Brionne, Olly Gebauer, Lill Sweet, Maly Podszuk, Max Brod, Hugo Fischer-Köppe, Didier Aslan, August Hartner, Alfred-Jackson-Girls

1929 **Bitte recht freundlich!** — Wien — Stadttheater —
23.2. — 30.4.

Ausstattungsrevue in 30 Bildern — Karl Farkas,
Ludwig Hirschfeld — Fred Steffens (d.i. Fritz Lehner) — Ladislaus Czettel — Franz Bauer — Karl
Farkas, Emil Schwarz — Christl Mardayn, Grete
Hornik, Olly Gebauer, Karl Farkas, Karl Bach-
mann, Richard Waldemar, Max Brod, Fritz Puchstein

2. Biographische Hinweise zu Produzenten und Regisseuren der Revue in Berlin und Wien

A. Erik Charell

Charell, recte Erich Karl Löwenberg, am 9.4. 1895 in Breslau geboren, begann als Tänzer und Choreograph. Anfang der Zwanziger leitete er die "Pantomimen des Deutschen Theaters" in Berlin und unternahm mit seinem eigenen Ballett Gastspielreisen mit klassischen Programmen, die ihn auch in Varietés wie das Wiener "Ronacher" führten.

Als Max Reinhardts Versuch einer Neubelebung antiken Theaters im zum "Großen Schauspielhaus" umgebauten Zirkus Schumann in Berlin gescheitert war, übernahm Charell von 1924 bis 1930/31 die künstlerische Gesamtleitung des Hauses unter den Direktionen Karl Rosen, Maximilian Sladek und Arthur Schwelb. Charell inszenierte zwischen 1924 und 1926 drei Revuen und ging wie erwähnt bereits 1927 zur Operette mit Revuecharakter über. Nach dem sensationellen Erfolg der von ihm inszenierten Uraufführung des von ihm mitverfaßten musikalischen "Weißen Rößl" (1930), dessen Filmversion er 1932 ebenfalls inszenierte, und dem frühen deutschen Film-Musical "Der Kongreß tanzt" (1931) ging Charell 1931 nach London, wo er im "Coliseum" die englische Version des "Weißen Rößl" inszenierte. Im Mai 1932 folgte im Londoner "Alhambra" die Inszenierung seines Berliner Operettenerfolges "Casanova".

Die Machtergreifung durch die Nationalsozialisten hielt Charell in der Emigration, wo unter seiner Regie u.a. Filme wie "Caravan" (1934) und "The Flying Trapeze" (1935) entstanden. Nach der Rückkehr nach Deutschland inszenierte Charell hier u.a. die Film-Reprise des "Weißen Rößl" (1952), ferner schuf er die Choreographie zum Film-Musical "Feuerwerk" (1954). Erik Charell starb 1973 in München.

B. Herman Haller

Der am 24.12. 1871 in Berlin geborene Herman Haller, recte Hermann Freund, begann seine Theaterlaufbahn als Schauspieler, 1893 am "Victoria-Theater" Berlin, 1894/95 am "Deutschen Theater" Berlin unter Otto Brahm. Interessant im Zusammenhang mit seinen späteren Revuen ist die Eröffnung des von Haller am Alexanderplatz in Berlin erbauten "Olympia Riesentheaters" anläßlich der Gewerbeausstellung von 1896. Vom 19.5. bis 2.11. 1896 zeigte Haller dort das Ausstattungsstück "Orient" von Bolossy Kiralfy aus dem Londoner "Olympia", eine Monsterfeerie mit Zirkus, Varieté und Wasserspektakel.

Nach dem Abbruch des Theaters nach Ende der Ausstellung folgte 1897 Hallers "Neues Olympia-Riesentheater"[232] im umgebauten Zirkus-Renz-Gebäude in der

232. Direktion mit L. Saenger. Eröffnet am 8.12. 1897 mit Kiralfys "Constantinopel"; am 30.11. 1898 folgte "Mene-Tekel", Berliner Ausstattungsstück von Haller. (Schriftl. Angaben Hal Haller.)

Berliner Karlstraße.[233] Vor dem ersten Weltkrieg machte sich Haller dann vor allem als Vaudeville- und Operettenlibrettist einen Namen. Das Vaudeville "Die Dame aus Trouville", Musik Gustav Wanda, erlebte 1902 am "Belle Alliance-Theater" in Berlin seine Premiere.

Von 1904/05 bis 1906/07 reiste Haller mit einem eigenen Tournee-Ensemble, dem "Berliner Vaudeville-" oder "Haller-Ensemble" durch deutsche Großstädte, bis er 1908 Codirektor des "Neuen Operetten-Theaters" ("Central-Theater") in Leipzig und ebenfalls 1908 Direktor des "Carl-Schultze-Theaters" in Hamburg wurde. In diesem überregional bekannten Operettentheater brachte Herman Haller in der Folge textlich selbstverfaßte musikalische Possen und Operetten zur Uraufführung, so 1911 die Fliegerposse "Parkettsitz No. 10" (Musik Walter W. Goetze) und 1913 "Der Juxbaron" (Musik Walter Kollo). Mit dieser Operette gastierte Haller im Frühjahr 1914 im Berliner "Theater am Nollendorfplatz", das er ab demselben Jahr zusammen mit dem Hamburger Haus leitete.

Der Direktor Haller war als Regisseur und Librettist an der Mehrzahl der Uraufführungen seiner Theater beteiligt, wie dem "vaterländischen Volksstück": "Immer feste druff!"[234] (1914/15) und der Kriegsoperette "Die Gulaschkanone"[235] (1916). Es folgten die Operetten "Blaue Jungs"[236] (1916), 1917 "Drei alte Schachteln"[237], 1919 "Der Vielgeliebte"[238], 1920 "Wenn die Liebe er-

233. Später wieder Zirkus Schumann, 1919 Gr. Schauspielhaus.
234. Mit Willi Wolff, Musik Walter Kollo.
235. Ebenso.
236. Mit Kraatz, Frey, Musik Nelson.
237. Mit Rideamus (d.i. Fritz Oliven), Musik Kollo.
238. Mit Rideamus, Musik Eduard Künneke.

wacht"[239], 1921 der Welterfolg mit Eduard Künnekes "Der Vetter aus Dingsda", ebenso mit der Musik Künnekes 1921 "Die Ehe im Kreise" und 1922 "Verliebte Leute".

1923 verlor Haller als Pächter des "Theaters am Nollendorfplatz" das Haus in einem Prozeß an die Eigentümer Meinhard und Bernauer. Auf der Suche nach einem neuen Theater konnte er mit der Pachtung des ehemaligen Eispalastes und nunmehrigen Varietés "Admiralspalast"[240] dem ebenfalls interessierten James Klein zuvorkommen.[241] Haller schrieb und inszenierte als sogenannter Revueadmiral im "Admiralspalast" 6 Revuen, bis das Theater im Frühjahr 1929 baupolizeilich geschlossen wurde.

Nach dem Intermezzo mit einer französischen Operette ("Der doppelte Bräutigam") im "Theater am Schiffbauerdamm" 1930 waren die letzten Haller-Produktionen im "Admiralspalast" Kálmáns "Csárdásfürstin" (1930) und die Edgar-Wallace-Adaption "Auf dem Fleck" (1931)

Haller emigrierte nach England und verstarb am 5.5. 1943 in London.

239. Ebenso.
240. Gegenüber dem Bhf. Friedrichstraße, heute "Metropoltheater".
241. Tägl. Pachtsumme lt. schriftl. Mitteilung Hal Haller 100 Dollar.

C. James Klein

Den Verlauf dieser besonders für die Hausse- und Baissezeit der zwanziger Jahre typischen Theaterkarriere skizziert ein subjektiv gefärbter Artikel im Programmheft der James-Klein-Revue "Europa spricht davon". Danach war Klein, 1886 geboren, bereits mit 17 Jahren als Schauspieler am Stadttheater Bonn engagiert, nachdem er "seit seinem 16. Lebensjahr Stücke geschrieben hatte, die auch aufgeführt wurden."[242]

In der Tat verzeichnen die Neuen Theater-Almanache von 1903 und 1904 die Aufführung zweier Kleinscher Werke: "Edmund Walden" (1902/03 Bonn) und "Zwei schwarze Seelen" (1903/04 Stettin). Von Stettin aus markierte eine Tendenz zu zunehmender Provinz Kleins Theaterlaufbahn: 1904/05 Passau, 1905/06 Hagen, 1906/07 Güstrow (Mecklenburg), ehe der ambitionierte junge Theatermann 1907/08 eine eigene Tournee-Truppe mit Sitz im westfälischen Herford gründete. Dort dürfte ein weiteres seiner Schauspiele, das dem Bedarf an Sensationsstücken angemessen betitelte "Die Sittenbrecher"[243] produziert worden sein.

Über Erfolg oder Mißlingen des gesamten Unternehmens liegen keine Nachrichten vor, jedenfalls ließ sich Klein nicht entmutigen. "Da ihm neben den künstlerischen Erfolgen die materiellen Erfolge auch wertvoll

242. Progr. Komische Oper Berlin, 4.12.1922, o.S., Thslg. ÖNB. Wien.
243. Neuer Theater-Almanach 1909.

waren, übernahm er bereits mit 24 Jahren die Direktion des (Neuen) "Walhalla-Theaters" in Berlin."[244] Kleins erste Direktion brachte dort Lokalrevuen mit Varieté-einlagen wie "Teufel, das hat eingeschlagen" (1911) und endete 1913 im Konkurs.

Während des ersten Weltkriegs erwarb Klein das "Apollo-Theater" und 1921 Hans Gregors "Komische Oper" in Berlin, in der er seine Nuditäten-Ausstattungs-revuen präsentierte. 1925 brachen die Kleinschen Büh-nen, zu denen auch das "Neue Operettenhaus" in Leipzig gehörte, unter einer gewaltigen Schuldenlast zusammen. James Klein verlor die Theaterkonzession, das "Apollo" wurde geschlossen, diente zunächst als Kino und wurde bald darauf abgerissen.

Unter den Pächtern und Konzessionären Boyen und Heisler und ab 1927/28 Großkopf produzierte Klein weitere Revuen in der "Komischen Oper", bis selbst die spektakulärste Erotik-Schau und auch ein jugendlicher Hans Albers als Hauptdarsteller keinen Erfolg mehr in diesem Genre erzielten. 1929 war Kleins direktoriales und inszenatorisches Glück endgültig zu Ende. Die "Komische Oper" wurde umgebaut, ihr neuer künstle-rischer Leiter Martin Zickel wechselte zur Operette über.

Im Dritten Reich verlieren sich dann die Spuren von James Klein.

244. Progr. a.a.O.

D. Hubert Marischka

Wien 27.8.1882 – 4.12.1959.

Hubert Marischka, Schwiegersohn Viktor Léons, war als Schauspieler und Operettentenor 1904 in St.Pölten engagiert, 1904/06 am Stadttheater Brünn und seit 1908 in seiner Heimatstadt Wien am "Theater an der Wien" und am "Carltheater". Durch die 1921 geschlossene Ehe mit Lilian Karczag, der Tochter des Direktors des "Theaters an der Wien", Wilhelm Karczag, wurde Marischka Codirektor des Theaters, nach Karczags Tod 1923 setzte er als alleiniger Leiter der Karczag-Marischka Bühnen[245] und des angeschlossenen Bühnenverlages die Tradition der Wiener Operette in eigenen Inszenierungen und persönlicher Mitwirkung fort.

Während das traditionsreiche "Theater an der Wien" bis zum Ende der Ära Marischka im Januar 1935 Operettenbühne blieb, erlebte das "Stadttheater", im Besitz Lilian Marischka-Karczags, eine wechselvolle Geschichte[246]. Nachdem es Operette und Schauspiel unter verschiedenen Pächtern und Direktoren gedient hatte, öffnete es sich von 1926 bis 1928 unter Hubert Marischka und der künstlerischen Leitung von Karl Farkas und Fritz Grünbaum der Ausstattungsrevue mit spezifisch wienerischer Note.

245. Theater an der Wien, Neues Wiener Stadttheater, Raimundtheater.
246. Vgl. Ruth Bauer, a.a.O.

Der Sängerschauspieler Hubert Marischka blieb der Wiener Operette auf in- und ausländischen Bühnen weiterhin treu, und zusammen mit seinem Bruder Ernst zählte er zu den Begründern der österreichischen Filmproduktion. Als Librettist schuf Hubert Marischka u.a. die Operetten "Sissy" (1932, zusammen mit Bruder Ernst), "Die Straußbuben" (1946, mit Rudolf Weys), "Die Walzerkönigin" (1948) und "Abschiedswalzer" (1949).

Nach dem zweiten Weltkrieg leitete Hubert Marischka die Operettenschule der Akademie für Musik und darstellende Kunst in Wien.

E. Rudolf Nelson

Rudolf Nelson, recte Lewysohn, geboren am 8.4. 1878 in Berlin, begann 1903 als Theaterpianist in Enzbergs Etablissement "Faun" in Berlin. Ab 1905 leitete er zusammen mit Paul Schneider-Duncker die elegante Kleinkunstbühne "Roland von Berlin" und gründete 1907 sein eigenes Kabarett, das "Chat noir", das im ersten Weltkrieg in "Schwarzer Kater" umbenannt wurde. Von Nelson stammt die Musik zu den Operetten "Miss Dudelsack" (Text Grünbaum und Reichert, 1909), "Hoheit amüsiert sich" (Text Freund, 1911), "Inkognito" (Text Kraatz und Kessler, 1918) u.a.

Nach dem "Metropol-Kabarett" eröffnete er 1919 die "Nelson-Künstlerspiele" am Kurfürstendamm im ehemaligen Weinrestaurant Sanssouci, dem heutigen Astor-Kino, die 1920 in "Nelson-Theater" umbenannt wurden.

1926 mußte Nelson das 300 Personen fassende Theater schließen und vazierte mit seinen Revuen in den folgenden Jahren durch verschiedene Berliner Theater: Saltenburgs "Theater am Kurfürstendamm", Reinhardts "Komödie" mit Nachtvorstellungen, Auftreten von Nelsons Ensemble "Die Optimisten" im Kabarett "Fledermaus" Unter den Linden. Nach dem Palmensaal des Hotel Cumberland bot der Blaue Saal des Edenhotels 1932 das letzte Berliner Domizil der Nelson-Revuen.

Der Emigration 1933 folgte eine Tournee durch Österreich und die Schweiz und die Gründung des Kabaretts "La Gaîté" in den Niederlanden. Nach dem zweiten Weltkrieg kehrte Nelson nach Deutschland zurück und unternahm in West-Berlin neuerliche Revueversuche, wie "Rudolf Nelson spielt" 1950, zusammen mit Robert Neumann. Nelson starb 1960 in West-Berlin.

F. Arthur und Emil Schwarz

Die Brüder Arthur (1877 Wien — 1949 New York) und Emil (1880 Wien — 1946 New York) Schwarz waren zwei der aktivsten Direktoren und Impresarios auf dem Gebiet der Revue in Wien und Berlin im ersten Drittel dieses Jahrhunderts. Während Arthur Schwarz als Administrator und Finanzier beteiligt war, hatte Emil Schwarz die künstlerische Leitung der Revuen inne, obwohl die eigentliche Inszenierung der Schwarz-Revuen in den Händen spezieller Spielleiter lag.

147

Als die Brüder Schwarz 1913 ihr erstes Theater in Wien eröffneten, hatten sie zuvor sieben Jahre lang das "Königliche Belvedere" in Dresden geleitet, ein kleines Gastspielensemble, das Revuen im Stil der Berliner Jahresrevuen gepflegt hatte. Im September und Oktober 1913 führte ein Gastspiel mit der Revue "Chauffeur! In's Colosseum" in das Wiener Varieté "Colosseum". In Wien pachteten die Brüder Schwarz noch im selben Jahr das Kabarett "Fledermaus" (Kärntnerstraße/Johannesgasse), das sie als "Revuebühne Femina" von 1913 bis 1926 führten. Die Bühne der "Femina" war den Nachtlokalräumlichkeiten im Souterrain entsprechend klein, so daß sich die Schwarz ein größeres Theater für ihre Revueobjekte suchten.

1915 bis 1923 pachteten sie das "Lustspieltheater" im Wiener Prater von dessen Besitzer Josef Jarno, um dort ihre erste größere Revue, "Prinzessin Revue" herauszubringen, in der Folge aber zu Revueoperetten überzuwechseln. 1923, im gepachteten "Ronacher"-Varieté, begann die Serie der von Emil Schwarz produzierten Ausstattungsrevuen, initiiert mit dem Sensationserfolg "Wien gib acht". Nach zwei weiteren Revuen im "Ronacher", die wie die erste Revue auf eine ausgedehnte internationale Tournee mit zum Teil zwei Ensembles gingen, brachten Schwarz ihre folgenden Revuen in Berlin im "Theater des Westens" zur Uraufführung, 1928 und 1929 wieder in Wien, nachdem das "Stadttheater" gepachtet worden war.

Als die Ausstattungsrevue in Deutschland und Österreich an Anziehungskraft einzubüßen begann, starteten Schwarz im Dezember 1929 ihre erste Italien-Tournee mit der italienischen Revue "Donne all'Inferno" (Musik

Fritz Lehner, Uraufführung 1929 im "Teatro Lirico" Mailand). Der große Erfolg der in Wien und zum Teil mit Wiener Schauspielern und Sängern zusammengestellten Revue wiederholte sich auf der Tournee durch italienische Großstädte und wurde im folgenden Jahr mit "Donne in Paradiso" fortgesetzt.

1931 brachte die italienische Version des "Weißen Rößl" als "Al Cavallino Bianco", die zum größten Erfolg der nunmehr ausschließlich für Italien produzierenden Brüder Schwarz wurde. Diese Revue-Operette mit Singspielelementen wurde drei Jahre lang in Italien gespielt, außerdem auch in Kairo und Alexandria, ehe 1934 eine Wiederaufnahme von Farkas' Revuestück "Wunderbar" (bereits 1930/31) und die Operetten "Ball im Savoy", "Casanova" und "Danubiana" folgten.

"Bertoldissimo", die erste Schwarz-Revue von italienischen Autoren, wurde 1936 uraufgeführt, 1937/38 folgten "La Lanterna di Schwarz"[247] und drei weitere Revuen der "Compagnia della Rivista Italiana, Diretta da Emilio Schwarz". Im Juni 1940 emigrierten Arthur und Emil Schwarz über Frankreich in die USA, wo sie mit kleineren Revuebühnen in New York scheiterten und bald nach dem Krieg verarmt starben.

247. Text Emil Schwarz, Luciano Ramo; Musik von verschiedenen Komponisten; Regie L. Ramo.

Literaturverzeichnis

Adorno, Theodor W.: Einleitung in die Musiksoziologie. Gesammelte Schriften Bd. 14, Frankfurt/M. 1973

Amiel, Denys, u.a.: Les Spectacles à travers les ages. Bd. 1, Paris 1931

Aulnet, Henri: Le Music-Hall moderne. Paris 1936

Bab, Julius u. Handl, Willi: Wien und Berlin. Vergleichende Kulturgeschichte der beiden Hauptstädte. Neue Ausgabe, Berlin 1926

Baker, Josephine: Memoiren. Der schwarze Stern Europas. München 1928

Baral, Robert: Revue. A Nostalgic Reprise of the Great Broadway Period. New York 1962

Bastian, Fritz Walter: Finanzierung und Rentabilität der modernen Theaterwirtschaft mit bes. Berücksichtigung der Berliner Verhältnisse. Hamburg 1926 (Auszug staatswiss.Diss.Hamburg 1926)

Behr, Hermann: Die goldenen zwanziger Jahre. Das fesselnde Panorama einer entfesselten Zeit. Hamburg 1964

Born, Franz: Berliner Luft. Eine Großstadt u. ihr Komponist. Paul Lincke. Berlin 1966

Bost, Pierre: Le cirque et le music-hall. Paris 1931

Brieger, Lothar u. Steiner, Hanns (Hrsg.): Die Stadt im Taumel. Zeitbilder. Berlin o.J.

Budzinski, Klaus: Die Muse mit der scharfen Zunge. Vom Cabaret zum Kabarett. München 1961

Bunzerl, Julius (Hrsg.): Geldentwertung u. Stabilisierung in ihren Einflüssen auf die soziale Entwicklung in Österreich. München-Leipzig 1925

Burton, Jack: In Memoriam Old Time Show Biz. New York 1965

Chevalier, Maurice: Ma Route et mes Chansons. Paris 1948

Czech, Stan: Das Operettenbuch. 4. Aufl., Stuttgart 1960

Damase, Jacques: Les Folies du Music-Hall. Histoire du Music-Hall à Paris de 1911 à nos jours. Paris 1960

Dreyfus, Robert: Petite Histoire de la Revue de Fin d'Année. Paris 1909

Ewers, Hanns Heinz: Das Cabaret. Berlin 1904 (= Das Theater, hrsg. v. Carl Hagemann, Bd. 11)

Falconi, Dino u. Frattini, Angelo: Guida alla rivista e all'operetta. Mailand 1953

Fargue, Léon-Paul: Music-Hall. Paris 1948

Farnsworth, Marjorie: The Ziegfeld Follies. New York 1956

Freund, Walter: Aus der Frühzeit des Berliner Metropoltheaters. In: Kl. Schriften der Gesellschaft für Theatergeschichte. Berlin 1962, H.19

Gatzke, Ursula: Das amerikanische Musical. Vorgeschichte, Geschichte u. Wesenszüge eines kulturellen Phänomens. München, phil.Diss. 1969

Gay Peter: Die Republik der Außenseiter. Geist u. Kultur in der Weimarer Zeit 1928–1933. Frankfurt/M. 1970

Giese, Fritz: Die Girlkultur. Vergleiche zwischen amerikan. u. europ. Rhythmus u. Lebensgefühl. München 1923

Green, Abel u. Laurie, Joe jr.: Show Biz. From Vaude to Video. New York 1951

Greul, Heinz: Bretter die die Zeit bedeuten. Die Kulturgeschichte des Kabaretts. Köln-Berlin 1967

Grun, Bernard: Kulturgeschichte der Operette. München 1961

Gusenberg, Richard u. Meyer, Dietmar: Die Dreißiger Jahre. Mit einem Essay v. Johannes Gross. Frankfurt/M.-Berlin-Wien 1970

Haas, Hermann: Sitte u. Kultur im Nachkriegsdeutschland. Hamburg 1932

Hadamowsky, Franz u. Otte, Heinz: Die Wiener Operette. Ihre Theater- u. Wirkungsgeschichte. Wien 1947 (= Klassiker der Wiener Kultur 2)

Hakel, Hermann: Wigl Wogl. Kabarett u. Varieté in Wien. Wien 1962

Henningsen, Jürgen: Theorie des Kabaretts. Ratingen 1967

Hodgart, Matthew: Die Satire. München 1969

Hösch, Rudolf: Kabarett von gestern. Berlin 1969

Hoffmann, Ludwig u. Hoffmann-Ostwald, Daniel: Dt. Arbeitertheater 1918–1933. 2 Bde., 2., erw. Aufl., München 1973

Hollaender, Friedrich: Von Kopf bis Fuß. München 1965

Horkheimer, Max u. Adorno, Theodor W.: Kulturindustrie. Aufklärung als Massenbetrug. In: Dies.: Dialektik der Aufklärung. Philosophische Fragmente. Frankfurt/M. 1971, S. 108ff

Ihering, Herbert: Die zwanziger Jahre. Berlin 1948

Ders.: Von Reinhardt bis Brecht. 4 Jahrzehnte Theater u. Film. Rezensionen u. Aufsätze. Hrsg. v. der dt. Akademie der Künste. Bd. 1–3, Berlin 1958–61

Jacques-Charles: Cent ans de Music-Hall. Histoire générale du Music-Hall, de ses origines à nos jours, en Grande-Bretagne, en France et aux USA. Genf-Paris 1956

Ders.: De Gaby Deslys à Mistinguett. Paris 1948

Jameson, Egon: Am Flügel: Rudolf Nelson. Berlin o.J.
(= Berlinische Reminiszenzen 15)

Kemetmüller, Klaus: Das amerikanische Musical als
Unterhaltungsphänomen. Wien, phil. Diss. (masch.)
1970

Kiaulehn, Walther: Berlin. Schicksal einer Weltstadt.
München-Berlin 1958

Knilli, Friedrich (Hrsg.): Die Unterhaltung der deutschen Fersehfamilie. Ideologiekritische Untersuchungen. München 1971

Kobal, John: Gotta Sing Gotta Dance. A Pictorial of
Film Musicals. London usw. 1970

Koch, Thilo: Die Goldenen Zwanziger Jahre. Frank-
furt/M. 1970

Kothes, Franz-Peter: Die theatralische Revue in Berlin u.
Wien 1900—1940 unter bes. Berücksichtigung der
Ausstattungsrevue. Strukturen u. Funktionen. Wien,
phil. Diss. (masch.) 1972

Kracauer, Siegfried: Das Ornament der Masse. Essays.
Frankfurt/M. 1963

Krammer, Mario: Berlin im Wandel der Jahrhunderte.
Eine Kulturgeschichte der deutschen Hauptstadt.
Ergänzt v. Paul Fechter. Berlin 1956

Kusnezow, Jewgeni: Der Zirkus der Welt. Berlin 1970

Mander, Raymond u. Mitchenson, Joe: British Music
Hall. A story in pictures. Foreword by John Betje-
man. London 1965

Mariel, Pierre: Paris Revue. Bonn 1960

McKechnie, Samuel: Popular Entertainment through the
Ages. London o.J.

Mistinguett (d.i. Jeanne Bourgeois): Mein ganzes Leben.
Zürich o.J.

Moeller van den Bruck, Arthur: Das Varieté. Berlin 1902

Moulin, Jean-Pierre: Varieté. (Le Music-Hall), dt., Lausanne 1963

Patalas, Enno: Stars — Geschichte der Filmidole. Frankfurt/M. — Hamburg 1967

Pem (d.i. Paul Markus): Heimweh nach dem Kurfürstendamm. Aus Berlins glanzvollsten Tagen u. Nächten. Berlin 1952

Ders.: Und der Himmel hängt voller Geigen. Glanz u. Zauber der Operette. Berlin 1955

Pemmer, Hans u. Lackner, Nini: Der Wiener Prater einst u. jetzt. Leipzig-Wien 1935

Pfeiffer, Herbert: Berlin — zwanziger Jahre. Berlin 1961

Piscator, Erwin: Das Politische Theater. Neuauflage, Reinbek b. Hamburg 1963

Polgar, Alfred: Ja und Nein. Schriften des Kritikers. Bd. 1—3, Berlin 1926

Ramo, Luciano: Storia del varietà. Mailand 1956

Reinhardt, Max und das Musiktheater. Katalog der Ausstellung. Salzburg 1969

Reinisch, Leonhard (Hrsg.): Die Zeit ohne Eigenschaften. Eine Bilanz der zwanziger Jahre. Stuttgart 1961

Reisner, Ingeborg: Kabarett als Werkstatt des Theaters. Literarische Kleinkunst in Wien vor dem Zweiten Weltkrieg. 2 Bde., Wien, phil. Diss (masch.) 1961

Rothe, Hans: Max Reinhardt. 25 Jahre Deutsches Theater. München 1930

Schaeffers, Willi: Tingeltangel — Ein Leben für die Kleinkunst. Aufgezeichnet von Erich Ebermeyer. Hamburg 1959

Schmidt-Joos, Siegfried: Das Musical. München 1964

Schneidereit, Otto: Berlin wie es weint und lacht. Spaziergänge durch Berlins Operettengeschichte. Berlin 1968

Shattuck, Roger: Die Belle Epoque (The Banquet Years). München 1963

Sobel, Bernard: A Pictorial History of Burlesque. New York 1956

Stern, Ernst: Bühnenbildner bei Max Reinhardt. Berlin 1955. Auszug aus: My Life, my stage. London o.J.

Thielscher, Guido: Erinnerungen eines alten Komödianten. Berlin 1939

Wahnrau, Gerhard: Berlin, Stadt der Theater. Chronik T. 1, Berlin 1957

Waldoff, Claire: Weeste noch. Düsseldorf-München 1953

Weiglin, Paul: Berlin im Glanz. Bilderbuch der Reichshauptstadt 1888 1918 Berlin-Wien-Zürich o.J. (1954)

Werner, Bruno E(rich): Die zwanziger Jahre. München 1962

Weys, Rudolf: Cabaret und Kabarett in Wien. Wien München 1970

Wladika, Otto. Von Johann Furst zu Josef Jarno. Die Geschichte des Wiener Pratertheaters. Wien, phil.Diss. (masch.) 1960

Zivier, Georg: Berlin und der Tanz. Berlin 1968 (= Berlinische Reminiszenzen 19)

Personen- und Sachregister in Auswahl

Weitere Angaben — besonders zu den Regisseuren, Mitwirkenden und Titeln der Ausstattungsrevue — sind dem Anhang zu entnehmen.